ИСТОРИЧЕСКИЙ ГИД
ГОРОДА И МУЗЕИ

ПРАГА

Москва
«ВЕЧЕ»

ББК 63.3(4Чеш)
УДК (036)
П68

П68   **Прага** / Автор-составитель Ю.В. Сергиенко. —
М.: Вече, 2014. — 240 с. : ил. — (Исторический
гид. Города и музеи).

ISBN 978-5-4444-1829-1
Знак информационной продукции 12+

Прага — столица Чехии, одного из самых важных эко-
номических регионов Западной Европы. Уже во времена
раннего Средневековья людьми было осознано значение
этих мест, являющихся средоточием мировых торговых
путей и кладовой несметных природных богатств. Поэтому
неудивительно, что главный город Чехии стал резиденцией
германских императоров и не одно столетие пользовался
их неослабевающей благосклонностью и всевозможными
монаршими льготами. Оттого и расцвел он под сенью императорского скипетра, оказавшись в конце концов одной из
красивейших столиц мира.

Об истории Праги, о ее неповторимой архитектуре,
искусстве, литературе, природе и других уникальных до-
стояниях рассказано в этой книге.

ББК 63.3(4Чеш)

УДК (036)

Введение

Прага никогда не отпустит тебя,
у этой матушки те еще клешни...
Франц Кафка

Чешская столица никогда не была обделена вниманием писателей, поэтов, музыкантов и художников. Никто из них, живший или работавший в Праге, не избежал влияния этого города на свое творчество: Райнер Мария Рильке, Франц Кафка, Бедржих Сметана, Антонин Дворжак, Альфонс Муха и многие другие великие деятели искусства.

Прагу называли и называют Стобашенной, Золотой, мистической столицей Европы. В настоящее время в Праге насчитывается более 500 башен, этим обусловлен столь необычный и узнаваемый силуэт города, поэтому название Стобашенная — не поэтическое преувеличение, как было когда-то, а лишь скромное отображение столь необычного достоинства чешской столицы.

Вид на Прагу с высоты птичьего полета

В отличие от многих других мировых столиц, облик которых за последнее столетие сильно пострадал от появления в старинных кварталах новых зданий, Прага претерпела минимальные изменения. Благодаря бережному отношению чехов к своей богатой событиями истории Прага сохранила особенное, присущее только ей очарование.

Почти 1,5 млн жителей Праги и все население Чехии по праву гордятся своей столицей, а огромное количество туристов, посещающих ее ежегодно, приносят в бюджет страны немалые суммы.

Странная, но гармоничная смесь славянской, немецкой и еврейской культур наложила на облик города ни с чем не сравнимый отпечаток. Дворцы австрийской аристократии, дома чешских горожан, сохранившиеся синагоги придают Праге незабываемый облик и наполняют ее атмосферу тем волшебным духом старины, которого нет больше нигде.

История Праги

Основание Праги

Начало заселения территории современной Чехии славянами приходится на IV в. — время, когда здесь обитали кельтские племена бойев, имя которых сохранилось в названии Богемии — «страны бойев». В V—VI вв. бойи были вытеснены с территории Чехии западнославянскими племенами, расселившимися преимущественно в долинах рек, по которым проходили торговые пути.

На реке Влтаве, в том месте, где ныне расположена Прага, первые поселения появились уже в V в., что подтверждается археологическими находками.

В VII в. произошло первое объединение чехо-моравских племен в единый союз под предводительством князя Само (? —658), предположительно франкского происхождения, с именем которого связаны первые сведения о чешской государственности. Союз просуществовал около 300 лет, и в этот период произошли многие знаменательные события, одно из которых оказало решающее влияние на последующую историю Чехии: чешские и

Король Само

моравские князья приняли христианство, желая защитить себя от посягательств франков. На месте государства Само образовалась Великоморавская держава — славянское государство.

Во второй половине IX в. в Моравии действовали проповедники Кирилл (Константин) (827—869) и Мефодий (815—885), создавшие славянскую азбуку и способствовавшие распространению христианского учения.

В VIII в. в окрестностях современной Праги располагалась целая система древнеславянских городищ, заселенных племенами чехов. Во главе племен стоял род Пршемысловичей (Пржемысловичей) (династия правила Чехией с 870 по 1310 г.). С легендарными основателями рода — принцессой Либуше и ее супругом Пршемыслом — связано сказание об основании Праги.

По преданию, молодая княгиня Либуше вместе с мужем, старейшинами племени и дружиной смотрела на холмы Страгов, Петршин и Волчьи ворота, стоя на вышеградской скале. В те времена на месте будущего города, среди лесов, только начали появляться засеянные поля. Либуше, на которую неожиданно снизошел пророческий дух, предрекла, что, после того как будут вырублены обширные леса по берегам Влтавы, здесь будет построен великий город, город, которому суждено стать столицей чешского государства и прославиться на весь мир.

Конец IX в., когда начался процесс объединения чешских племен в единое государство, можно считать временем возникновения Праги. В это время была заложена основа города — княжеская резиденция, которую перенес сюда из Левого Городца-над-Влтавой князь Боривой I Пршемыслович (правил в 870 или 872—889 или 894 гг.), так как здесь находились броды через Влтаву.

Над тем местом, где река изгибается, он построил укрепленное городище и храм Девы Марии, вокруг которых стали возникать рыбацкие поселения и торговые площади. У главного брода, где располагалась княжеская

Пржемысл и Либуше. Скульптор Й.В. Мыслбек.
Прага, Вышеград

таможня, появилась купеческая слобода, ставшая позже ядром города, немного дальше, у второго брода, — слобода Поржичи.

Быстрое развитие Праги было обусловлено тем, что она располагалась в месте пересечения многих торговых путей, как местных, так и международных. Примечательно, что княжеский двор — Тын — выполнял не только таможенные функции, но и функции охраны приезжих купцов.

В начале X в., после гибели Великоморавской державы под ударами венгров, чешские княжества образовали новое государство с центром в Праге, принадлежавшей Пршемысловичам. Оно объединило территории, расположенные к западу от реки Лабы (Эльбы). Земли, расположенные к востоку от Лабы, управлялись княже-

7

ским родом Славниковичей, а их главным городом был Либице — основной экономический и политический соперник Праги. Продолжительная борьба двух городов закончилась победой Праги и Пршемысловичей, вырезавших в сентябре 995 г. почти всех Славниковичей и объединивших под своей властью большую часть чешских племен.

X в. ознаменовался бурным ростом города, в нем появилось большое количество немецких и еврейских торговцев, которые способствовали укреплению экономики Праги. Развитие феодального строя и замена натуральных производственных отношений товарно-денежными оказали благоприятное воздействие на развитие торговли в городе — спрос на производимые ремесленниками товары значительно повысился, и, кроме того, горожане оказались в более привилегированном положении по сравнению с сельскими жителями, попавшими в зависимость от феодалов.

Жизнь города в этот период была очень тесно связана с торговлей, и местом наибольшей концентрации населения была рыночная площадь. В слободе, примыкавшей к этой площади, кроме торговцев, жили и ремесленники, а из окружающих деревень и поселков в Прагу доставлялись сельскохозяйственные продукты. В конце X в. еврейский торговец из Иберии (Испания) Ибрагим ибн Якуб в дорожных записях назвал Прагу очень красивой княжеской резиденцией, в окрестностях которой часто останавливаются торговцы из разных стран.

С севера и юга территории будущего города были построены два главных княжеских замка, охранявших переправы через Влтаву — Пражский Град и Вышеград. Поселения между ними, строившиеся в X—XII вв., назывались Междугородием и постепенно приобретали все большее значение, богатели и разрастались, сливаясь в единый город. Особенностью этого периода было массовое переселение в Чехию немцев — сначала сельских жителей, а позднее торговцев и ремесленников, заселявших крупные города, и в первую очередь Прагу.

В период с X по XIII в. в Пражском Граде и близлежащих поселениях были созданы первые романские монументальные строения, в частности базилика Св. Вита, базилика Св. Йиржи и монастырь бенедиктинок, Страговский монастырь, княжеский дворец на Вышеграде.

В 1160-х гг. через Влтаву был построен каменный Юдифин мост, располагавшийся примерно на том месте, где позднее построили известный ныне на весь мир Карлов мост. К концу XII в. в Праге насчитывалось уже более тридцати церквей, выполненных в романском стиле. Романские традиции прослеживались и в архитектуре многих домов богатых горожан. Фрагменты этих зданий были обнаружены в подвалах домов более поздней постройки.

В середине XIII в. король Пршемысл Отакар II (1233—1278 гг., король с 1253 г.) на территории, где впоследствии появился район Мала Страна, заложил город для немецких поселенцев, который жил по законам германского города Магдебурга, откуда прибыло большинство из них.

Вид на Пражский Град и Градчаны со стороны Влтавы

В этот же период началось строительство Градчан — района светских и церковных построек для придворных.

С середины XII в. пражские районы стали быстро застраиваться, причем ведущее место в застройке занимали церковные сооружения — соборы, часовни и базилики. В это время появились первые здания, выполненные в раннеготическом стиле, например синагога пражских евреев, которая в настоящее время является самой старой из сохранившихся в Европе. Помимо религиозных сооружений в готическом стиле стали строить жилые дома и торговые лавки.

В XIII в. Прага стала крупнейшим в Чехии городом, с которым не могли сравниться по размерам и численности населения все остальные чешские города.

К середине XIV в. столица Чехии состояла из трех отдельных городов — Старого города (Старе Место), Нижнего города (Мала Страна) и Градчан — городка, основанного в 1321 г. бургграфом Пражского Града Гинеком Беркой. Старе Место возникло из слияния купеческой слободы рядом с Тыном, которой был пожалован статус города, и Гавельского города — района вокруг церкви Св. Гавла.

Расцвет Праги

Начало возвышению Праги положил еще король Пршемысл Отакар I (? — 1231 гг., чешский князь с 1192 г., король с 1198 г.), обладавший прекрасными дипломатическими способностями. В 1212 г. он добился от императора Священной Римской империи Фридриха II (1194—1250 гг., император с 1211 г.) официального признания самостоятельности Чешского королевства. При его преемниках Вацлаве I Одноглазом (1205—1253 гг., король Чехии с 1230 г.) и Пршемысле Отакаре II, благодаря их активности во внешней и внутренней политике, значительно возрос авторитет чешских королей среди других европейских правителей, а следовательно, укрепилась и роль Праги как столицы государства.

Вацлав II (1271—1305 гг., король Чехии с 1283 г.) понимал, что города являются его главной опорой в противостоянии с феодальными князьями. Сильная городская аристократия помогала ему противостоять знати и сохранять политическое равновесие, поэтому он покровительствовал городам, давая им различные привилегии. Вацлав II упорядочил законы, установил контроль над важнейшим источником доходов в казну — торговлей серебром и золотом, а также централизовал выпуск единой чешской денежной единицы. С этого времени Прага приобрела исключительное право на выпуск серебряного пражского гроша.

Благодаря Вацлаву III (1289—1306 гг., король Венгрии в 1301—1305 гг., Чехии с 1305 г. и Польши с 1305 г.) Прага стала столицей довольно значительной территории. Однако Вацлав III умер очень рано, в 1306 г., и на нем род Пршемысловичей по мужской линии пресекся.

Развернулась борьба за чешский престол, в которой через пять лет победил Ян Люксембургский Слепой (1296—1346 гг., король Чехии с 1310 г.), сын императора Священной Римской империи Генриха VII Люксембургского (ок. 1269—1313 гг., император с 1312 г.).

В 1310 г. чешская знать избрала Яна Люксембургского королем при условии, что он вступит в брак с дочерью Вацлава II Элишкой (Елизаветой) (1292—1330), а также сохранит привилегии дворянства.

Ян неоднократно пытался урезать власть феодальных князей, из-за чего они постоянно возмущались, а в 1318 г. даже подняли мятеж, так что королю пришлось пойти на уступки и отказаться от притязаний на абсолютную власть.

Крупные города, в том числе и Прага, пользовавшиеся определенными привилегиями еще при предыдущих правителях, требовали от Яна Люксембургского предоставления им новых привилегий и свобод, взамен выдавая ему кредиты. Вскоре король отказался от проведения какой-либо целенаправленной политики и фактически отстранился от управления государством, посещая его только для сбора налогов. Это привело к тому, что Чехия стала терять авторитет в Европе, замедлилось ее экономическое развитие.

При Яне Люксембургском в Праге впервые возникло городское самоуправление — в 1338 г. жители Старе Места построили собственную ратушу. Королю пришлось предоставить эту привилегию горожанам, так как он находился в финансовой зависимости от них. Позже городским властям было дано разрешение на подготовку собственного Законника и утверждена судебная независимость Праги от других чешских городов.

Несмотря на то что зависимость короля была выгодна и князьям, и городскому патрициату, они считали, что только сильная королевская власть поможет преодолеть назревавший в стране экономический кризис.

Сильного правителя видели не в Яне, а в его сыне, Карле, который, несмотря на юный возраст, проявлял прекрасные дипломатические способности и пользовался авторитетом как в Чехии, так и в других государствах Священной Римской империи.

В 1333 г. Ян присвоил Карлу титул маркграфа моравского и передал ему практически все свои полномочия. Карл прежде всего вернул все захваченные знатью владения и предоставил городам и чешской церкви привилегии, которые обеспечили ему независимость не только от чешской, но и от немецкой аристократии. Первым значительным достижением Карла стало учреждение в 1344 г. Пражского архиепископства и освобождение чешской церкви от подчинения архиепископу немецкого города Майнца.

В 1346 г., после смерти Яна Люксембургского, Карл стал чешским королем, Карлом I (1316—1378). Годом позже Карл, помимо чешского королевского трона, получил престол императора Священной Римской империи и стал именоваться Карлом IV. Благодаря ему Прага стала столицей Священной Римской империи и получила мощный толчок к развитию.

Укрепление королевской власти в Чехии напрямую зависело от положения городов, поэтому Карл IV продолжал, как и его отец, проводить по отношению к ним покровительственную политику, прежде всего по отношению к Праге.

За период его более чем тридцатилетнего правления Прага стала одним из самых крупных центров Европы. Карл IV много сделал для развития ремесел, торговли и культуры. Еще в самом начале своего правления он основал Пражский (Карлов) университет, первый в Центральной Европе, по образцу которого впоследствии были созданы университеты в Кракове, Гейдельберге и Вене.

Карл IV уделял огромное внимание монументальному строительству, прежде всего потому, что ему требовалась столица, соответствующая образу могущественного правителя. В 1348 г. он основал Новый город (Нове Место), увеличив внутреннюю площадь Праги, что в свою очередь вызвало быстрый рост численности городского населения.

При Карле IV районы Праги начали широко за-

Король Карл I

страиваться зданиями в готическом стиле, который пришел в Чехию из Германии и Франции.

Романские постройки с их массивной крепостной архитектурой и отсутствием каких-либо декоративных деталей сменили готические здания, которые отличались строгими вертикальными линиями, высокими и прямыми колоннами и шпилями, стрельчатыми контурами оконных проемов и арок. Характерными чертами готических зданий были высокие интерьеры, крестообразные своды и впервые начавшие использоваться архитектурные украшения, придававшие даже самым величественным постройкам легкость и изящество. В период правления Карла IV в Праге действовала мастерская крупнейшего архитектора Петра Парлержа (ок. 1332—1399), создавшего наиболее значительные готические сооружения середины XIV в.

Пётр Парлерж, чье имя вписано в историю Праги золотыми буквами, был представителем немецкой семьи архитекторов, которые оказали значительное влияние на готическую архитектуру Германии и Чехии. Практически все наиболее значительные готические архитектурные сооружения были созданы при его участии. При Карле IV готика преобладала не только в архитектуре новых зданий, в этом стиле стали перестраивать старые романские дворцы и соборы, на фундаментах романских домов начали возводить новые, готические. В традициях готики был построен собор на месте старой базилики Св. Вита, полностью перестроен Вышеград. Из-за широкого распространения и огромной популярности готической архитектуры в Праге сохранилось очень мало романских построек в первозданном виде.

Построенное Карлом IV Нове Место всего за несколько лет заняло огромную территорию — на востоке он протянулся от Старе Места до современных Виногорода и Жижкова, на юге — до Вышеграда, объединив все поселения по правому берегу Влтавы. Главными зданиями

Нове Места стали ратуша, собор Марии Снежной, Эмаусский монастырь на Словенах и др.

Постепенно в Нове Место из других городов Праги стали переселяться ремесленники (суконщики, кожевенники, столяры и др.), в этом районе быстро начала развиваться торговля, увеличился авторитет ремесленных цехов и сложилась определенная инфрастуктура.

При Карле IV расширились торговые возможности чешского государства и возникла необходимость упорядочить торговлю. Король старался стимулировать торговые отношения в стране путем предоставления различных привилегий пражским купцам, чтобы они могли составить конкуренцию иностранным.

В этот период расширилась территория других районов Праги — Мала Страна увеличилась за счет присоединения к ней части Уезда, к Градчанам присоединилось предместье Погоржелец.

Одной из самых значительных построек Карла IV явился каменный мост через Влтаву, который был сооружен после наводнения, смывшего прежний, Юдифин, мост. В честь короля этот мост был назван Карловым и в настоящее время является одной из самых ярких достопримечательностей Праги.

Город, обновленный и разросшийся при Карле IV, впоследствии был обнесен каменной стеной, остатки которой сохранились до наших дней на склоне холма Петршин. Раньше стена проходила по правому берегу Влтавы от Вышеграда через Карлов, по тем местам, где сейчас находятся Мезибранская и Сокольская улицы, к реке, а на левом берегу шла от Пражского Града через Погоржелец к Уезду.

К концу царствования Карла IV площадь города была настолько велика, что могла удовлетворять потребности растущего населения еще несколько столетий. Прежде разрозненные пражские города слились вместе, став единым целым, а над всем этим возвышался комплекс зданий Пражского Града с великолепным собором.

Несмотря на то что все районы Праги при Карле IV были территориально объединены, экономически они по-прежнему оставались слабо связанными друг с другом.

Центральным ядром города являлось расположенное на правом берегу Влтавы Старе Место со множеством кривых извилистых улочек и древней Староместской площадью, к которой примыкали более четко спланированные районы новой постройки, расположенные вокруг храма Св. Гавла. Центром эти кварталов также была большая площадь, окруженная готическими зданиями.

Нове Место располагалось южнее Старого и соединилось с ним тремя основными улицами: Спаленой, Вацлавской и Гибернской, которые вели к Скотному, Конскому и Сенному рынкам соответственно. Эти улицы соединялись поперечной дорогой.

Мала Страна, построенная на левом берегу Влтавы, была довольно четко распланирована и представляла собой большую прямоугольную площадь, от которой отходили улицы, ведущие к мосту и городским воротам. Вокруг этих трех районов располагались старинные кварталы, образовавшиеся вокруг церквей и монастырей.

Костел Св. Микулаша

Ядром Градчан, расположенных к северо-западу от Малой Страны, также была большая прямоугольная рыночная площадь, окруженная рядом жилых домов.

Незаселенные окраины города занимали огромные массивы садов и виноградников, придавая городу вид острова, утопающего в зелени.

В этот период наиболее примечательными архитектурными сооружениями Праги были храм Св. Гавла в Старе Месте и Староместская ратуша, Малостранская ратуша и ротонда Св. Вацлава, собор Св. Вита, каменный мост, построенный Карлом, и расположенная перед ним Староместская предмостная башня. В течение XIV в. в Градчанах были построены великолепные готические соборы Св. Микулаша и Св. Томаша.

Гуситское движение

После смерти Карла IV его место занял король Вацлав IV (1361—1419 гг., король Чехии с 1378 г., император Священной Римской империи в 1378—1400 гг.), при котором в городе стал все острее проявляться экономический кризис, начавшийся еще в конце правления Карла. Кризис особенно усилился после 1400 г., когда Вацлав лишился императорского престола и Прага стала утрачивать свое значение. Общий упадок отразился прежде всего на мелких ремесленниках, составлявших большую часть населения города. Особенно болезненным для низших слоев населения

Король Вацлав IV

стало резкое повышение арендной платы за дома, принадлежавшие по большей части немецкой аристократии и духовенству. Засилье немецкой аристократии, получившей все наиболее значимые государственные посты, а также произвол католических священников, в большинстве своем немцев, торговавших индульгенциями и взимавших высокую плату за совершение церковных обрядов, вызывало огромное недовольство горожан.

Постепенно в городе назревал протест, особенно среди низших слоев населения. Бедные требовали удешевления церкви, уравнения в правах с духовенством и возврата к традициям раннего христианства, а более обеспеченные чехи с завистью взирали на огромные богатства церкви и немецкой аристократии.

Первыми выразителями общего настроения стали ученые. В последнее десятилетие XIV в. в Пражском университете появилось новое поколение магистров, чехов по национальности, которые прониклись идеями английских реформаторов, прежде всего Джона Уиклифа[1], и стали выступать против морального разложения среди монахов и священников. В числе этих профессоров были Штепан из Палче (1370—1423), Станислав из Зноймо (1351—1414), Иероним Пражский (ок. 1380—1416) и Ян Гус (ок. 1371—1415).

В 1391 г. в Праге была построена Вифлеемская часовня, где сторонники религиозных и социальных реформ стали читать проповеди на чешском языке.

В 1402 г. произошло знаменательное для истории Праги и всей Чехии событие — в Вифлеемской часовне начал выступать магистр Пражского университета Ян Гус, обличая пороки католического духовенства. Его реформаторские идеи получили широкую поддержку населения. Выступления Гуса собирали огромное коли-

---

[1] *Джон Уиклиф* (1330—1384) — ректор Оксфордского университета, великий богослов и проповедник, зачинатель эпохи европейской Реформации.

чество слушателей — иногда их число доходило до 3 тыс. человек.

Ян Гус разделял взгляды английского реформатора Джона Уиклифа и вскоре стал главой его сторонников в Чехии. В числе его требований была передача имущества монастырей светским властям, что нашло искренний отклик в среде пражской аристократии.

Иероним Пражский

В 1409 г. он добился того, что управление университетом перешло в руки чехов, в результате чего немецкие профессора и студенты демонстративно покинули учебное заведение. Сам Гус был назначен ректором, однако не прекратил свою проповедническую деятельность и продолжал открыто выступать против торговли индульгенциями. Король Вацлав IV, ранее поддерживавший Гуса, в этом случае стал на сторону церкви и не дал своего одобрения сторонникам реформатора. Вскоре после этого за распространение реформаторских идей и призывов к возвращению к принципам раннего христианства Ян Гус был отлучен от церкви и покинул Прагу, продолжив проповедническую деятельность в провинции.

В 1414 г. Гус был вызван на церковный собор в Констанце, где его взгляды были объявлены еретическими. От Гуса потребовали

Ян Гус

Яна Гуса ведут на казнь. Старинная миниатюра

Казнь Яна Гуса. Старинная миниатюра

отречения, однако он отказался признать свои идеи ошибочными. После этого Гуса арестовали и приговорили к смерти. В 1415 г. его сожгли заживо.

Казнь Яна Гуса, идеолога чешской Реформации, вызвала огромное недовольство и волнения среди его сторонников и в конце концов привела к войне, немалую роль в которой, помимо религиозных, сыграли национально-освободительные и социальные мотивы. Вопреки назиданиям короля революционное движение в Праге не пошло на спад после смерти Гуса.

30 июля 1419 г. группа последователей Гуса во главе со священником-гуситом Яном Желивским (? —1422) во время выступления у костела Св. Стефана потребовала от городского магистрата выпустить на свободу сторонников Гуса, арестованных за открытое проявление своих взглядов. В ответ из Новоместской ратуши кто-то бросил в Желивского камень, на что собравшиеся отреагировали стихийным нападением на ратушу.

Группа, руководимая Яном Желивским, в которой находился и Ян Жижка (1360—1424), впоследствии ставший героем гуситского движения, ворвалась в новоместский магистрат и выбросила из окон на пики трех советников и семерых горожан, симпатизировавших противникам Гуса.

Выбрасывание из окон, получившее название «дефенестрация», и впоследствии применялось жителями Праги в отношении неугодных чиновников и стало своеобразным национальным сигналом к началу восстания.

Королевские войска не смогли остановить толпу и отступили.

Пражская дефенестрация 1419 г.
Художник Зденек Мизл

2 сентября 1419 г. населением Нове Места впервые был избран новый состав магистрата, в основном сторонников Желивского, и Вацлаву IV пришлось утвердить его.

Гуситское движение набирало силу, к нему присоединились жители всех пражских городов, и вскоре Прага была охвачена восстанием. После скоропостижной смерти Вацлава IV 16 сентября 1419 г. огромные массы населения Праги выступили против церковных властей.

На протяжении всего периода Гуситских войн (30 июля 1419—30 мая 1434 г.) наиболее радикальные силы всегда сосредотачивались в Нове Месте, так как население этого района, большую часть которого составляли мелкие ремесленники и наемные работники, сильнее других страдало от экономического кризиса и поборов церковных чиновников. Население Старе Места, которое было более обеспеченным, хотя и поддержало гуситскую революцию, придерживалось более умеренных взглядов.

Несмотря на внутренние противоречия, время Гуситских войн стало временем наибольшего могущества средневековой Праги, в первую очередь финансового — ведь в результате революционных завоеваний и конфискаций имущество аристократов и церковных сановников скапливалось именно в этом городе. Помимо этого, члены Пражского магистрата получили огромную политическую власть — они решали практически все внутриполитические проблемы Чехии.

3 апреля 1420 г. все пражские города подписали военное соглашение, направленное против германского императора Сигизмунда I Люксембургского (1368—1437 гг., король Венгрии с 1387 до 1410 г., император Священной Римской империи с 1411 г., король Чехии с 1419 г.), направившего войска для подавления восстания, и это увеличило влияние Праги в Чехии.

Военные действия против императора начались с осады крепости Вышеград. Против войск Сигизмунда, большую часть которых составляли немцы, выступило ополчение пражских городов и провинциальные отряды гуситов. Несмотря на то что на стороне императора было численное и техническое превосходство, гуситы победили.

На Чаславском сейме, проходившем в Праге с 3 по 7 июня 1421 г., жители города приняли решение отвергнуть притязания Сигизмунда на королевский престол Чехии и избрали двадцать правителей для решения политических вопросов. Четверо из двадцати были жителями Праги.

30 июня 1421 г. пражане приняли решение объединить Нове и Старе Место в одно целое. Управлять городом должен был совет из тридцати человек — поровну от Нове и Старе Места.

После дефенестрации фактическим диктатором Нове Места был Ян Желивский — представитель бедных слоев населения. 5 марта 1422 г. зажиточное бюргерство совершило в городе переворот, Желивский был убит. Народные массы, поддерживавшие радикальное направление гуситского движения, остались без предводителя.

Гуситское движение к тому времени было сконцентрировано не только в Праге. Еще в 1420 г. появился центр этого движения в южночешском городе Табор, где группировались наиболее радикальные силы — табориты во главе с Яном Жижкой. После гибели Желивского Прага стала оплотом умеренных гуситов — чашников. Тем не менее пражское ополчение участвовало во всех значительных сражениях Гуситских войн — в битве у Усти-над-Лабем в 1426 г., при Тахове в 1427-м, при Домажлице в 1431-м, однако истинное согласие с таборитами не было достигнуто. Длительные военные действия побудили гуситов пойти на переговоры с феодально-католическими войсками.

Обелиск на месте битвы при Липанах,
где пали последние табориты

В 1433 г. были приняты так называемые Пражские компактаты, подтверждавшие объединение умеренных гуситов с императором за спиной таборитов. Эти компактаты признавали главное требование гуситов — предоставление права на причащение мирян хлебом и вином из чаши, тогда как прежде причащение вином было привилегией священников. Умеренные гуситы стали называться чашниками.

Раскол между умеренными и радикальными гуситами сыграл решающую роль в поражении гуситского движения. В 1434 г., в битве у Липан, табориты были разгромлены объединенными силами чашников и феодально-католических войск под предводительством императора Сигизмунда I.

Сражения во время Гуситских войн нанесли большой урон облику Праги — были разрушены многие архитектурные сооружения: Страговский монастырь, дворец Карла IV, Вышеградская крепость, пострадали здания в Градчанах, Погоржельце, Малой Стране.

После Гуситских войн

После поражения таборитов жители Старе Места избрали Сигизмунда I чешским королем, который в благодарность за это предоставил им новые привилегии. Старе Место значительно укрепило свое положение среди других чешских городов, еще более увеличилось его значение в период междуцарствия, наступившего после смерти преемника Сигизмунда, Альбрехта II Габсбургского (1397—1449 гг., король Чехии с 1437 г., король Германии с 1438 г.).

После гуситской революции стало быстро развиваться самоуправление города. Это стало возможно благодаря тому, что в период Гуситских войн были созданы благоприятные условия для укрепления позиций городской администрации.

Главными органами управления в пражских городах стали магистраты. В староместском магистрате было восемнадцать членов, из которых двенадцать поочередно выполняли функции бургомистра на протяжении всего года. В магистратах остальных пражских городов было только по двенадцать членов, и жители Нове Места долгое время пытались добиться уравнения в правах со Старе Местом.

Только при Владиславе II Ягеллоне (1456—1516 гг., король Чехии с 1471 г. и король Венгрии с 1490 г.) закончилось соперничество между двумя пражскими городами. Жители Нове Места наконец получили право на восемнадцать представителей в городском совете.

Роль посредников между магистратом и общиной выполняли общественные гласные, представлявшие интересы горожан. Гласные действовали в случаях, когда требовалось решение вопросов, затрагивавших интересы населения, но не было необходимости созывать общегородское собрание.

Магистратами назначались городские старосты из числа местных жителей. Старостам подчинялись писцы, управляющие тюрьмами и сборщики налогов. Помимо этого, жители всех пражских городов избирали сотников, пятидесятников и десятников, которые ведали вопросами порядка и отвечали за противопожарную безопасность.

В конце XV в. в Праге появились новые должности — часовщика, который должен был следить за часами на ратуше, и водопроводчика, ведавшего работой водокачек, снабжавших водой из Влтавы некоторые районы города.

В 1458 г. жители Старе Места избрали нового короля из среды дворян-чашников, Йиржи из Подебрад (1420 или 1422—1471 гг., король Чехии с 1458 г.). Поддержало нового короля и население Нове Места. Король Йиржи и во внешней, и во внутренней политике старался придерживаться мирного направления. В период его правления не было войн, что не могло не сказаться положительно на экономическом развитии города.

Король Йиржи из Подебрад

Во время правления Йиржи из Подебрад Прага вновь укрепила свое влияние в стране, в городе продолжились строительство и восстановление архитектурных сооружений.

По приказу Йиржи была построена новая надвратная башня Староместской ратуши, в 1464 г. началось строительство мостовой башни в Малой

Тынский костел (костел Девы Марии перед Тыном)

Стране, образцом которой послужила Староместская башня, в том же году завершилось строительство Тынского костела.

Одним из наиболее примечательных событий короткого периода правления Йиржи стала перестройка Староместской ратуши, в результате чего она была значительно расширена за счет прилегающих домов.

Йиржи из Подебрад на чешском престоле сменили короли из польской династии Ягеллонов. При первом из них, Владиславе II Ягеллоне, строительство в Праге продолжалось — аристократы и богатые горожане возводили дворцы и дома, старые здания обновлялись, появлялись новые.

В это время началось расширение и перестройка Староместской ратуши в стиле поздней готики, была доведена до совершенства конструкция курантов. На королевском дворе была выстроена Новая башня, позднее названная Пороховой, восстановлены костел Девы Марии на Травничке, разрушенный во время сражений под Вышеградом, и костел на Карлове.

Еще в самом начале правления Владислава II Ягеллона начались работы по реконструкции и укреплению Пражского Града. Были выстроены новые оборонительные башни, в частности знаменитая Далиборка. В этот период позднеготический стиль достиг своего расцвета, что отразилось в строениях конца XV — начала XVI в., в частности в колокольнях костелов Св. Индржиха и Св. Кунгуты.

Наиболее значительными мастерами готики в этот период были Бенедикт Рейт из Пистова (1451—1534) и

Далиборка. Внутренний двор

Матей Рейсек (1445—1506). При них готический стиль приобрел завершенность, в нем уже стали проявляться черты ренессансного искусства. Именно Бенедикт Рейт провел реконструкцию Староместской ратуши, в 1490— 1502 гг. обновил королевский дворец в Пражском Граде, построив Владиславовский зал и аудиенц-зал.

В 1503—1510 гг. под руководством Бенедикта Рейта было построено Людвиковское крыло королевского дворца, в архитектуре которого уже были черты Ренессанса. Интересно, что при Ягеллонах большинство новых зданий были светскими, даже те, что строились в поздне-готическом стиле.

В 1516 г. Владислав Ягеллон умер, оставив корону малолетнему сыну Лайошу (Людовику) II Ягеллону (1506—1526). В Чехии сразу же развернулась борьба за власть между феодалами и королевскими привилегированными городами, к которым относилась и Прага. Противостояние началось еще при Владиславе. Королевские города боролись за сохранение своих прав, самоуправление и ограничение конкуренции со стороны городов, принадлежащих феодалам.

В 1517 г. было подписано Святовацлавское соглашение между союзом 32 королевских городов и крупными феодалами, согласно которому города получали судебную независимость. В 1518 г. союз организовал комитет с резиденцией в Праге и создал свое войско, однако вскоре городам пришлось уступить и отказаться от некоторых своих привилегий, в частности от монопольного права на изготовление и продажу пива.

Повзрослевший король Лайош II в 1523 г. решил оказать поддержку городам, чтобы обуздать феодалов, однако вскоре был вынужден покинуть Чехию, и ситуация вновь обострилась, чему во многом способствовало широкое распространение в стране идей немецкой Реформации.

Правление первых Габсбургов

В 1526 г. Лайош II погиб в битве при Мохаче против войск прославленного турецкого султана Сулеймана I Кануни (1495—1566 гг., турецкий султан с 1520 г.), и власть в Чехии перешла к представителю династии Габсбургов, австрийскому эрцгерцогу Фердинанду I (1503—1564 гг., император Священной Римской империи и король Чехии с 1526 г.).

Вступив на чешский престол, Фердинанд I первым делом решил ограничить самостоятельность городов. Он упразднил объединенный совет Старе и Нове Места и запретил общегородские собрания.

Фердинанд I был ревностным католиком, в то время как большинство чехов были сторонниками реформированной после Гуситских войн церкви. Несмотря на это, в начальный период своего правления он спокойно относился к свободе вероисповедания, однако уже в 1530-х гг. стал резко выступать против гуситских церковных реформ и препятствовал распространению идей Реформации. В стране назревало недовольство действиями короля, которое вылилось в открытый конфликт после того, как Фердинанд I выступил на стороне католиков в войне против протестантов в Германии.

Когда Фердинанд I попытался собрать в Чехии ополчение для похода на протестантов, все чешские сословия открыто выступили против него. В 1547 г. в Праге на земский сейм собралось несколько сотен противников короля со всей страны, в числе которых были представители

Король Фердинанд I Габсбург

высших сословий и горожане. Участники сейма составили программу, в которой выдвигались требования регулярного созыва сейма, восстановления общегородских собраний в Праге и других городах, исключительное право на чеканку чешской монеты.

На этом сейме был избран временный комитет, в состав которого входили, помимо аристократов и рыцарей, четыре пражских городских советника — коншела. Этот комитет отдал приказ о формировании ополчения для противостояния королю. Однако Фердинанд I не пошел на открытое столкновение, так как у него не было достаточно большого войска, а решил использовать давние противоречия между городами и феодалами. Обещаниями уступок он привлек на свою сторону землевладельцев, в июле 1547 г. двинул объединенные войска на Прагу и захватил ее.

Король после победы лишил Прагу и другие королевские города всех свобод и привилегий, распустил ремесленные цехи и обязал выплачивать огромные штрафы. Кроме того, он восстановил в правах католическую церковь и привлек в страну большое количество иезуитов, призванных искоренить Реформацию. Позже король пошел на уступки, однако Прага так и осталась в подчиненном положении. Во главе городского управления он поставил чиновников, назначенных из среды дворян. В Нове и Старе Месте для управления были назначены королевские гетманы.

Несмотря на достаточно жесткую политику Фердинанда I, для Праги время его правления, а также правления его преемника Максимилиана II (1527—1576 гг., король Чехии с 1562 г., император Священной Римской империи с 1564 г.) стало периодом настоящего расцвета культуры и искусства страны. Средневековая готика постепенно сменялась новой архитектурой Ренессанса. Этот архитектурный стиль, зародившийся в Италии, основывался на возрождении традиций классической римской архитектуры. Характерными чертами его стали пропорциональность архитектурных форм, использование внешних колонн и рифленых пилястр, а главное, новый взгляд на эстетическое назначение зданий и их гармоничное сочетание с окружающим пространством.

Помимо нового стиля появились и новые формы декоративной отделки стен, такие как фреска — живопись по сырой штукатурке разведенными в воде красками, и сграффито — процарапывание рисунка по штукатурке, при котором обнажались более глубокие слои штукатурного покрытия.

В этот период новые здания создавались в основном иностранными мастерами, прежде всего итальянскими. Созданные ими росписи фасадов домов и дворцов, скульптурные украшения зданий и фонтанов преобразили Прагу, сделали ее более яркой.

В 1541 г. в Пражском Граде случился пожар, уничтоживший и повредивший большую часть зданий. Их восстановление проходило в стиле Ренессанса, и город постепенно превращался из укрепленного замка в современную королевскую резиденцию. Во Владиславовском дворце были построены западный и восточный фронтоны, был возведен новый королевский дворец и разбит сад в итальянском стиле. В 1564—1568 гг. был создан исключительной красоты фонтан, названный Поющим из-за звука падающих капель. Еще при Фердинанде I началось строительство Бурггафского, Рожумбергского и Лобковицкого дворцов, завершившееся при Рудольфе II (1552—1612 гг., император Священной Римской империи с 1576 г.).

Эпоха правления императора Рудольфа II отразилась на городе весьма

Император Рудольф II

неоднозначно. В 1583 г. он, как и Карл IV, перенес императорскую резиденцию из Вены в Прагу, дав новый толчок экономическому развитию города. Образованность и высокая культура Рудольфа сыграли огромную роль в новом этапе развития Праги. Король привлек к своему двору лучших европейских художников, скульпторов, музыкантов и ученых. Пражский Град снова стал императорской резиденцией, а также центром науки и искусства. Рудольф II был большим ценителем живописи и предметов прикладного искусства. Для хранения своих коллекций он даже расширил дворец, построив Испанский зал и Рудольфову галерею.

В 1584—1606 гг. в Пражском Граде был выстроен Северный дворец, придан современный вид Золотой улице, дома которой были пристроены вплотную к стене оборонительных укреплений.

При Рудольфе II была перестроена часовня Всех Святых и завершен декор храма Св. Вита.

В период правления Рудольфа II ренессансный стиль получил в Праге широкое распространение. Его стали использовать при строительстве не только храмов и дворцов, но и при сооружении обычных городских жилых домов, например домов «У минуты», «У французской короны», «У двух золотых медведей» и др.

С другой стороны, правление Рудольфа II ознаменовалось нарастанием религиозных и национальных противоречий в Праге, приведших впоследствии к восстанию.

Во-первых, при восшествии на чешский престол Рудольфа II в Праге появилось большое количество католических сановников, принадлежавших к так называемой испанской партии, то есть поддерживавших политику испанского короля, занимавшего главенствующее положение среди остальных представителей династии Габсбургов. Действия католиков, совершенно не учитывавших сложившуюся в Чехии религиозную обстановку, были направлены на укрепление королевской власти и подчинение своей воле всех религиозных и светских вопросов.

После того как Рудольф II попытался выступить против своего брата эрцгерцога Матиаса (Матиаша) (1557—1619 гг., король Венгрии в 1608—1618 гг., король Чехии с 1611—1617 гг., император Священной Римской империи с 1612 г.), подписавшего в Венгрии мирное соглашение с протестантами, выступило население Чехии и Моравии. В результате Рудольф был вынужден подписать мирное соглашение с Матиасом и пообещать чехам сохранение свободы вероисповедания.

Оппозиционно настроенные чешские сословия в начале 1609 г. собрали в Праге сейм и потребовали от короля признания прав протестантов, однако католическое окружение Рудольфа оказало сопротивление, и сейм был распущен. 1 мая 1609 г. сословия вновь собрались в Новоместской ратуше Праги, и под их давлением 9 июля 1609 г. император согласился подписать «Грамоту величества», гарантирующую свободу вероисповедания протестантам.

Однако Рудольф почти сразу стал нарушать условия грамоты, а для подавления сопротивления ввел в Прагу отряды наемников. Этим воспользовался эрцгерцог Матиас, который обещаниями добился поддержки моравских сословий и с их помощью в марте 1611 г. занял Прагу. После этого Рудольф был вынужден отречься от чешского престола в пользу Матиаса.

Матиас же, получив желаемое, вовсе не собирался выполнять свои обещания, и вскоре его контрреформационная политика стала вызывать недовольство в Чехии. Кроме того, в 1617 г. он объявил наследником чешского трона Фердинанда II Габсбурга (1578—1637 гг., король Чехии с 1617 г., король Венгрии с 1618 г., император Священной Римской империи с 1619 г.), известного своей фанатичной преданностью католицизму.

В марте 1618 г. в Праге собрался съезд протестантов, однако Габсбурги не приняли его всерьез и решили, что угрозами наказания смогут добиться отступления оппозиции. Однако предводители радикального направления антикатолического движения, среди которых были граф Индрих Матиас Турн (1567—1640), шляхтичи Альбрехт Ян Смиржицкий (1594—1618) и Вацлав Будовец (1551—1621), убедили протестующих не подчиняться императору и снова собрали съезд некатолических сословий Чехии в мае 1618 г.

Шляхтичи собрались на съезд вооруженными, в сопровождении собственных крестьян. 23 мая съезд направил в Пражский Град делегацию, члены которой выбросили из окон канцелярии королевских наместников. Это была уже вторая пражская дефенестрация.

После этого в Праге было избрано правительство из 30 директоров. Руководители восстания надеялись, что им окажут поддержку Нидерланды и Протестантская уния в Германии, однако на стороне восставших выступил только один из протестантских князей — курфюрст

Вторая пражская дефенестрация.
Художник Карел Свобода

Фридрих Пфальцский (1596—1632 гг., король Чехии в 1619—1620 гг.).

В марте 1618 г. император Матиас умер, после чего на сейме в Праге сословия отказались признать его наследника Фердинанда II чешским королем и избрали на его место Фридриха Пфальцского. Однако Фердинанд II был избран императором Священной Римской империи.

Почти сразу интересы нового правительства и королевских городов разошлись, так что в 1619 г. пражские горожане потребовали немедленного восстановления всех прав и привилегий, которые были ликвидированы после восстания в 1547 г.

Положение осложнилось тем, что большинство в войсках восставших составляли наемники, которым не только были чужды идеи протестантов, но и регулярно задерживалось жалованье, из-за чего они периодически грабили жителей Праги и других городов, а также сельское население Чехии.

Войска императора, которым оказывала поддержку Испания и папа римский, наоборот, усилились и в 1620 г. начали наступление на Чехию. 8 ноября 1620 г. произошло сражение у Белой Горы, завершившееся поражением восставших. Это сражение стало переломным моментом в войне. Чехия после этого утратила самостоятельность и, хотя формально оставалась королевством, оказалась в полной власти Габсбургов.

Тридцатилетняя война

Тридцатилетняя война, продолжавшаяся с 1618 по 1648 г., оказала огромное влияние на историческое развитие Европы. Вторую пражскую дефенестрацию королевских наместников в мае 1618 г. принято считать началом Тридцатилетней войны, в которую оказались втянутыми большинство европейских стран. Кроме того, что начало конфликта было непосредственно связано с ситуацией в Чехии, в первые годы война шла преимущественно на ее территории. Именно поэтому первый период Тридцатилетней войны называется чешским.

Основной причиной Тридцатилетней войны была политика австрийских и испанских Габсбургов, стремившихся захватить власть в большей части Европы и получить большее влияние на международной арене. Против Габсбургов выступили Нидерланды, Франция, Дания, Швеция и др. Во время первого и второго периодов войны — чешского и датского, военная ситуация складывалась по большей части в пользу габсбургской коалиции, и это отрицательно сказывалось на положении Чехии.

В 1623 г. Чехия была оккупирована войсками императора, что вызвало массовую эмиграцию протестантского населения. Количество проживающих в Чехии людей сократилось на четверть, а население Праги уменьшилось вдвое.

На чешских землях наиболее болезненно отразилась политика террора и устранения инакомыслящих, проводившаяся Габсбургами. Сразу же после поражения у Белой Горы в Праге состоялась показательная казнь руководителей восставших. Двадцать семь человек, в числе которых был и ректор Пражского университета Ян Есенский (1566—1621), были казнены на Староместской площади.

Контрреформационная политика и жестокое притеснение чехов стали причиной того, что весь период Тридцатилетней войны остался в истории страны как «эпоха тьмы». Из Праги и вообще из Чехии были вынуждены уехать многие видные деятели искусства и науки: всемирно известный педагог Ян Амос Коменский (1592—1670), магистр Пражского университета Павел Странский (1583—1657), многие музыканты, композиторы, художники.

Ян Амос Коменский

Результатом Тридцатилетней войны стало превращение Праги из столицы независимого государства, крупного культурного центра в провинциальный город большой империи, который к тому же из-за оттока населения и отмены всех привилегий стал испытывать огромные экономические и политические трудности. Во время оккупации Праги шведскими войсками шведского генерала Ганса-Христофа Кенигсмарка (1600—1663), которая считается заключительным событием Тридцатилетней войны, из города было вывезено множество культурных ценностей, в частности богатейшая коллекция произведений искусства, собранная Рудольфом II.

В период войны замерла культурная жизнь Праги, практически прекратилось строительство. Основное внимание уделялось возведению новых оборонительных сооружений и перестройке старых, так как Прагу дважды осаждали шведские войска. На фоне общего упадка выделялись только новые дома и дворцы аристократии, принявшей католичество и пошедшей на союз с Габсбургами. Кроме этого, были перестроены некоторые церкви и монастыри.

К концу Тридцатилетней войны в Праге уже начали появляться некоторые элементы нового направления в архитектуре и искусстве — барокко, которое наиболее ярко проявило себя после наступления мира.

Первым зданием в стиле раннего барокко принято считать дворец Альбрехта Вальдштейна (Валленштейна) (1583—1634), знаменитого военачальника периода Тридцатилетней войны. Дворец был построен на Малой Стране в 1624—1630 гг. под руководством итальянских архитекторов Джованни Батиста Пиерони (1586—1654), Никколо Себрегонди (ок. 1580—1652) и Андреа Спецца из Аронга (1580—1628).

На первый взгляд может вызвать удивление то, что роскошный барочный дворец появился не у членов королевской семьи, а у военачальника, однако биография Вальдштейна объясняет это. Альбрехт из Вальдштейна

Вид на дворец Альбрехта Вальдштейна

вошел в историю как удачливый военный авантюрист, добившийся небывалых карьерных высот. Он происходил из небогатого дворянского рода, рано осиротел и в очень молодом возрасте вступил в армию. Женился Вальдштейн на богатой вдове, значительно улучшив тем самым свое материальное положение, и перешел в католическую веру. Он поддержал Фердинанда II, а во время выступлений чехов и сражения на Белой Горе оставался на стороне немцев. Вальдштейн принимал участие в казни 27 протестантских дворян на Староместской площади в 1621 г.

По поручению императора Вальдштейн и еще четверо дворян постарались ликвидировать внешний долг государства путем выпуска обесцененных денег, в результате чего авантюрист получил огромные барыши. Деньги он потратил на приобретение у казны конфискованного имущества казненных чешских дворян и вскоре стал самым богатым человеком в Чехии. На севере страны у него было собственное имение Фридлант, которое в 1625 г. было провозглашено княжеством, а через 2 года — герцогством.

Власть Вальдштейна была такой, что он добился разрешения чеканить в своем имении собственную монету, не платить налоги в чешскую казну и учредил свою конституцию. В 1625 г. Вальдштейн получил от императора звание генералиссимуса.

Во время Тридцатилетней войны, когда шведы стали теснить австрийцев, император поручил Вальдштейну организовать сопротивление, на что тот согласился при условии, что сам император не будет вмешиваться в его действия. Вальдштейн быстро собрал войско и освободил от шведов Чехию и Баварию.

Несмотря на военные успехи, у Вальдштейна было множество противников среди высших военных чинов, которые в конце концов вынудили императора отстранить его от командования армией.

В 1634 г. Вальдштейн отправился по делам в город Хеб, находившийся на границе с Сербией. Там его пригласили

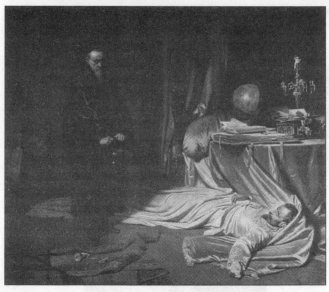

Сени перед трупом Валленштейна.
Художник К.Т. Пилоти

Клементинум

В залах Клементинума

на пир. Вальдштейн не поехал, оставшись дома. На пиру присутствовавшие там соратники Вальдштейна были убиты, после чего убийцы ворвались в дом Вальдштейна и зарубили его секирой. Имущество убитых враги поделили между собой.

В настоящее время останки генералиссимуса находятся в семейной усыпальнице Вальдштейнов в городе Мнихово Городиште. Дворец Вальдштейна представлял собой обширную резиденцию с просторным и красиво оформленным садом и занимал территорию, равную целому городскому району.

Также в стиле раннего барокко был построен Чернинский дворец в Градчанах. Другие раннебарочные здания в Праге возводились прежде всего для религиозных нужд. Среди наиболее грандиозных сооружений того времени можно отметить Клементинум, построенный орденом иезуитов.

Расцвет империи Габсбургов

После окончания Тридцатилетней войны, принесшей огромные потери Европе, и в первую очередь — Чехии, Прага стала совсем другой. Город утратил положение одной из ведущих европейских столиц. Важнейшую роль в истории города на протяжении последующих столетий стала играть немецкая культура.

Государственным языком в Чехии стал немецкий, на нем велось все делопроизводство. Чешская аристократия тоже стала пользоваться немецким, а национальный язык остался языком только низших слоев городского и сельского населения.

Немалое влияние немецкая культура оказала и на стиль барокко. Главную роль в этом сыграли католические священнослужители, воспользовавшиеся тем, что после длительной войны в стране возникла всеобщая неуверенность в будущем. Католическая пропаганда стала более агрессивной, основой ее стала вера в божественное провидение. Искусство барокко по своему эмоциональному воздействию во многом соответствовало целям католиков, поэтому широко применялось, прежде всего в строительстве новых храмов. Однако, несмотря на это, было бы ошибочно считать, что культура барокко была только одним из средств Контрреформации. Вначале этот стиль был чужеродным для Праги и других чешских городов, однако к концу XVII в. он занял главенствующее место и даже приобрел характерные черты чешского национального искусства.

Барокко отличала монументальность, пышность, большое внимание к деталям. Интерьеры барочных зданий выделялись некоторой театральностью оформления, затейливым декором. Прямые линии, свойственные искусству Ренессанса, уступили место округлым, сложным переплетениям узоров, обладающим некоторой напряженностью и в то же время изяществом. Задачей художников и зодчих барокко было поразить зрителя необычностью пространственных решений и яркостью образов, что отвечало абсолютистским устремлениям государства и церкви. Широкое использование позолоты и превращение потолка, украшенного фресками, в большое иллюзионное пространство не подавляло человека, как готическое искусство, но восхищало его величественностью и красотой.

Возобновившееся с середины XVII в. строительство в Праге постепенно возвращалось к прежним масштабам. До конца XVII в. в городе были построены новые монастыри, костелы, дворцы, а также обновлены старые здания, например костелы Св. Якова, Св. Гавела, Св. Иуды и Св. Симеона. Период барокко отмечен деятельностью в Праге видных архитекторов — таких как Килиан Игнац Динценгофер (1689—1751), Жан Баттист Матей (ок. 1630—1695), Джованни Баттист Аллипранди (1665—1720), Карло Лураго (1615—1684), Ян Блажей

Сантини-Айхль (1677—1723), Иоган Бернард Фишер фон Эрлах (1656—1723), Франтишек Максимилиан Канька (1674—1766).

Чешское барокко примечательно тем, что все элементы в нем существуют в органичной взаимосвязи друг с другом и окружающим пространством. Городские постройки периода барокко обязательно сочетались с окружающими их зданиями, улицами, площадями, образуя гармоничные ансамбли.

В период господства барокко огромное значение приобрели скульптура и живописное оформление зданий. В Праге творили выдающиеся живописцы и скульпторы: Матей Вацлав Йекл (Якель) (1655—1738), Матиаш Бернард Браун (1684—1738), Ян Йиржи Бендл (ок. 1620—1680), Игнац Франтишек Платцер (1717—1787). Мастера Ян Брокоф (1652—1718), Браун и Платцер создали замечательные пластичные скульптуры, которые и поныне украшают многие здания в городе.

На рубеже XVII—XVIII вв. в Чехию, и прежде всего в Прагу, стали постепенно проникать идеи западноевропейского Просвещения. В XVIII в. появились три основных течения просветительской мысли — немецкое, общеавстрийское и национальное чешское, которое позднее легло в основу идей национального возрождения чешского народа.

Расцвет Австрийской империи, в состав которой входила в тот период Чехия, связывают прежде всего с именами австрийской императрицы Марии-Терезии (1717—1780 гг., с 1740 г. эрцгерцогиня Австрии, королева Чехии и Венгрии, с 1745 г. императрица Священной Римской империи как супруга и вдова императора Франца I) и ее сына Иосифа II (1741—1790 гг., хотя стал императором Священной Римской империи в 1765 г., самостоятельно начал править только после смерти матери в 1780 г.). Мария-Терезия, вошедшая в историю как первая австрийская государыня, разделявшая

Портрет императрицы Марии-Терезии.
Художник Мартин фон Мейтенс

идеи просвещенного абсолютизма, взошла на престол в 1740 г. Эта великая во всех отношениях женщина прославилась как искусный дипломат и покровительница наук и искусств.

В 1741 г. в Европе началась Война за австрийское наследство, и значение Праги как одного из важнейших центров империи значительно возросло, особенно после того, как перед Габсбургской монархией встала реальная угроза отторжения Чехии. Мария-Терезия завершила войну, отказавшись от большей части Силезии в пользу Пруссии, но сохранив в составе империи остальные владения, в том числе и Чехию.

Несмотря на то что в середине XVIII в. Чехия была лишь одной из отдаленных областей Австрии, а Прага оставалась провинциальным городом, именно во время правления Марии-Терезии в стране началась новая эпоха, продолжившаяся при ее сыне.

В 1773 г. на территории Чехии Габсбурги запретили деятельность ордена иезуитов — одной из самых одиозных католических организаций. В 1775 г. было отменено крепостное право, а в 1791 г. — введено всеобщее начальное образование и отменены привилегии церкви.

Иосиф II, продолжавший дело матери, обращал большое внимание на внутреннюю политику империи. Устранение безоговорочной власти католической церкви способствовало развитию науки и культуры. После издания закона о веротерпимости Иосиф II ликвидировал более 20 монастырей и 35 храмов и часовен, имущество которых перешло в распоряжение государства. Некоторые монастыри были разрушены, часть стала использоваться под казармы.

Церковная реформа создала предпосылки для реформ в сфере образования — в Праге были открыты новые начальные школы, реорганизована система гимназического образования, открыта средняя женская школа.

Вторая половина XVIII в. ознаменовалась экономическим ростом и быстрым развитием промышленности в Чехии. В связи с увеличением количества новых промышленных предприятий в Праге появились новые районы — Карлин и Смихов.

Среди отрицательных последствий реформ Марии-Терезии и Иосифа II можно назвать начавшуюся германизацию высшей чешской аристократии и интеллигенции, которые постепенно привыкли считать немецкий язык и немецкие традиции более приличествующими их положению в обществе, чем чешские.

Однако следует отметить, что, несмотря на подавление национальной культуры, данный период стал временем появления в Праге первых национальных деятелей культуры и просвещения, которые со временем сформировали первое национальное патриотическое движение. В числе этих деятелей были монах Карл Унгар (1743—1807), педагог Геласий Добнер (1719—1790), аббат Йосеф Добровский (1753—1829), которые стали основоположниками возрождения чешской культуры.

Несмотря на то что в Австрии и большей части Западной Европы в этот период широко распространился новый архитектурный стиль — рококо, поклонницей которого была Мария-Терезия, значительных изменений в облике Праги не произошло. В городе появилось очень немного зданий, выполненных в этом стиле, среди которых можно отметить прежде всего дворец Гольц-Кинских.

Помимо многих преобразований в области внутренней политики, во время правления Марии-Терезии и Иосифа II произошло несколько не менее значительных для Праги событий. Прежде всего, это реформа 1783 г., объединившая систему судопроизводства на всей территории Чешского королевства, а также реформы 1784 г., которые внесли некоторые существенные изменения в систему городского самоуправления, в частности объединили прежде самостоятельные пражские города — Старе Место, Нове Место, Малу Страну и Градчаны в один большой город.

Дворец Гольц-Кинских

В Праге после этих реформ были ликвидированы независимые судебные органы европейского города и университета, все пражские города были объединены, а самоуправление Праги стало осуществляться инстанциями, полномочия которых были значительно ограничены государством.

Начало национального возрождения

Конец XVIII в. принято считать началом подъема национального движения в Чехии, который во многом связан с правлением Иосифа II и его преемников.

Иосиф II был необыкновенной и противоречивой личностью. За недолгий срок своего самостоятельного правления после смерти Марии-Терезии он сумел оказать огромное влияние на Чехию. Главной чертой характера этого императора была непоколебимая вера в силу и авторитет государственной власти. Религиозные реформы стали главным следствием этого убеждения — ведь церковь на протяжении многих веков была основным конкурентом монархии.

Наиболее остро в Чехии к началу правления Иосифа II стояли как раз религиозный и крестьянский вопросы, поэтому он прежде всего постарался решить их. Наряду с патентом о веротерпимости император, несмотря на упорное сопротивление чешской и моравской аристократии, отменил крепостное право и заменил личную зависимость крестьян отношениями подданства, хотя при этом барщинные повинности сохранялись.

Руководство Римской католической церкви было серьезно обеспокоено нововведениями Иосифа II. Весной 1782 г. в Вену даже приезжал с визитом папа Римский Пий VI (1717—1799 гг., папа римский с 1775 г.). Однако целью императора не было полное устранение католической церкви, а лишь ограничение ее власти и прекращение политики Контрреформации, которая вызывала постоянное недовольство в Чехии.

Крестьянский и религиозный патенты стали основой политики, получившей позднее название «йозефинизм», третьим основным элементом этой системы стало заключение Иосифом II союзного договора с Россией. После того как основные направления внешней и внутренней политики были определены, Иосиф II приступил к реализации на практике своей цели, которая заключалась в централизации Австрийской империи и полной германизации населения ее провинций.

Противоречивость политики Иосифа II выражалась в том, что он, проведя ряд прогрессивных реформ, которые создавали предпосылки для развития капиталистических отношений и расширения производства, что особенно было важно для такого города, как Прага, в то же время поддерживал мануфактурное производство, что соответствовало интересам феодальной аристократии.

Передовые просветители Чехии, Венгрии и других провинций Австрийской империи первоначально активно поддерживали курс императора на «просвещенный абсолютизм», однако вскоре политика «йозефинизма» вступила в пору кризиса, завершившегося полным провалом.

Наибольшее недовольство в провинциях империи вызвало решение национальных и языковых вопросов. Школьная система была перестроена так, чтобы осуществлять воспитание во всей огромной империи по австрийскому образцу. Во главе системы образования в Чехии был поставлен известный педагог, организатор народных школ Фердинанд Киндерман (1740—1801), немало сделавший для развития школьного дела, однако активно внедрявший немецкую культуру в чешские школы. Такое положение дел вскоре оттолкнуло патриотически настроенных просветителей. Кроме того, слишком быстрые реформы, не подготовленные должным образом, давали повод для недовольства различным слоям общества, в том числе и австрийской аристократии.

Другими причинами поражения политики Иосифа II были, с одной стороны, неудачное участие в войне с Турцией, а с другой — готовившийся указ о полном переводе всех крестьянских земель на денежную оплату, что фактически отменяло барщину. После этого император полностью лишился поддержки высшей аристократии, которая была опорой его власти. Феодальные князья в 1790 г. вынудили уже тяжело больного Иосифа II отменить введение указа и отказаться от всех начинаний, за исключением религиозного и крестьянского патентов.

В феврале 1790 г. Иосиф II скончался, и на престол взошел его брат Леопольд II (1747—1792 гг., император Священной Римской империи с 1790 г.). Этот на редкость образованный и культурный человек, в отличие от Иосифа II, был осторожным и хитрым правителем. Он постоянно лавировал между австрийской и провинциальной знатью. В качестве уступки чешским патриотам Леопольд возобновил традицию короноваться не только императорской короной, но и чешской. В 1791 г. он организовал в Праге пышную церемонию коронации, что позволило пражанам вновь ощутить себя жителями столицы государства и вызвало патриотический подъем в Чехии.

В 1792 г., после недолгого правления, Леопольд II умер и австрийским императором стал его сын, Франц II (1768—1835 гг., последний император Священной Римской империи с 1792 по 1806 г., первый император Австрийской империи с 1806 г., король Чехии и Венгрии с 1792 г.), которого готовили к престолу еще при жизни Иосифа I. С воцарением Франца II политика Австрийской империи приобрела ярко выраженные реакционные черты, несмотря на то, что император в некоторых вопросах поддерживал чешских патриотов. Так, в мае 1792 г. Франц II подписал указ об учреждении в Пражском

Портрет императора Франца II.
Художник Фридрих фон Амерлинг

университете кафедры чешского языка и литературы, во главе которой был поставлен знаменитый чешский ученый Франтишек Пельцль (1734—1801), а позже, как и его предшественник, Франц II провел коронацию в Праге, подчеркнув важность для империи этой провинции.

Отдельные уступки чешской интеллигенции мало сказывались на постоянном давлении австрийской культуры. Помимо ущемления политических прав провинции, существовала цензура, особенно жесткая для произведений на чешском языке. Однако, несмотря на эти трудности, развитие чешской литературы и публицистики продолжалось.

Ученые, в частности, лингвист и поэт Йозеф Юнгман (1777—1847) и историк и философ Франтишек Палацкий

(1798—1876), работавшие в этот период в Праге, не только создали важнейшие научные труды на родном языке, но и многое сделали для формирования патриотических чувств у городской интеллигенции.

Начало XIX в. стало для Чехии и ее столицы временем серьезного экономического подъема, несмотря на тяжелое положение в Европе из-за начавшихся Наполеоновских войн и давления со стороны Австрии. В Праге появилось огромное количество мануфактур и фабрик, которые хотя и были небольшими, но оказали огромное влияние на развитие города.

Количество промышленных предприятий в первой половине XIX в. настолько увеличилось, что территории Праги оказалось недостаточно для их размещения. В 1817 г. началось строительство района Карлин, изначально запланированного как промышленный. Кроме того, многие фабрики разместились в районах Смихов, Голешовицы и Либне. В Чехии оказалось сконцентрировано более 80 % всех промышленных предприятий Австрийской империи, что привело не только к повышению благосостояния населения, но и увеличению значимости Чехии в составе империи.

Развитие промышленности вызвало необходимость в развитии транспорта. В 1832 г. был перестроен Карлинский порт и построен второй пражский мост, для транспортировки крупных грузов была укреплена набережная Влтавы вплоть до Карлова моста. В 1828—1829 гг. от Праги до Лан была проведена первая конная железная дорога.

В первой половине XIX в. был отмечен быстрый рост численности населения Праги — за период с 1822 по 1843 г. население увеличилось более чем на 20 %, причем около 40 % составляли немецкоязычные жители. С увеличением числа промышленных предприятий доля немецкоязычного населения в городе стала заметно сокращаться.

XIX в. принес в архитектуру Праги новый стиль — классицизм. Во многом это было связано с тем, что начало века стало периодом экономического процветания Чехии и, кроме того, немалое влияние на это оказало всеобщее увлечение античными образами. Примечательно, что популярные в Европе в предшествующие годы стили рококо и ампир практически не коснулись Праги, и барокко напрямую сменил классицизм.

В основе классицизма лежали идеи Просвещения — рационализм, стремление к выражению нравственных и героических идеалов Античности. Простота и гармоничность образов, свойственная этому стилю, отражала устремления зарождающегося буржуазного общества.

Наибольшее влияние классицизм оказал на облик Пражского Града, в котором был выстроен целый комплекс классических зданий, а также Нове Места, где было возведено много светских и церковных зданий в новом стиле.

Революционное движение в Праге

Подъем национального самосознания чехов в первой половине XIX в. во многом был обусловлен развитием национального языка, появлением большого количества литературных произведений на чешском языке и патриотической деятельностью чешских ученых.

На формирование революционного движения огромное влияние оказывали представители общественной мысли. Первым наиболее влиятельным чешским общественным деятелем был уже упомянутый здесь Йосеф Добровский, который первым в 1780-х гг. начал выпускать журналы, пропагандировавшие идеи Просвещения. Кроме того, особое внимание Добровский уделял истории чешского народа, чешскому и другим славянским языкам.

Этого ученого считают основоположником новой науки — славяноведения.

Великий чешский ученый Йозеф Юнгман в этот период опубликовал трактат «О чешском языке» в первом чешскоязычном журнале. Позднее он создал еще два монументальных труда, первых в своем роде — «Историю чешской литературы» и «Чешско-немецкий словарь».

В начале XIX в., после того как венская учебная канцелярия официально разрешила преподавание в чешских школах родного языка, Юнгман написал первый учебник-хрестоматию под названием «Словесность».

В начале XIX в. в Праге стали образовываться различные общественно-патриотические организации, крупнейшей из которых стало объединение «будителей», куда помимо Йозефа Юнгмана вошли филолог и поэт Вацлав Ганка (1791—1861), писатель Йозеф Линда (1792—1834) и др.

В конце XVIII — начале XIX в. в Праге впервые появились театральные пьесы на чешском языке. Виднейшим драматургом этого периода был Вацлав Климент Клицпера (1792—1859), который стал создателем жанра чешской комедии. Автором национального гимна Франтишеком Шкроупом (1801—1862) была написана первая чешская опера «Проволочник». Кроме того, появилась целая плеяда чешских художников, среди которых можно назвать Франтишека Ткадлика (1786—1840), Антониса Махека (1775—1844), Антонина Манеса (1784—1842).

В 1820-х гг. одним из главных центров объединения патриотических сил стал основанный в Праге в 1818 г. Национальный музей. С 1827 г. стал издаваться «Журнал чешского музея», редактором которого был видный общественный деятель и ученый Франтишек Палацкий (1798—1876).

Такой подъем патриотических настроений в Праге привел к возникновению в 1840-х гг. революционного движения, которое сконцентрировалось в нескольких обществах, ратовавших за самоопределение чешской нации через военное выступление. Наиболее радикальным из них был «Чешский рипил», в который входили представители мелкой буржуазии. Среди главных требований общества были ликвидация феодальной системы, дворянских привилегий и абсолютизма, а также решение национального вопроса. Многие политические кружки, создававшиеся в 1840-е гг., выдвигали похожие социальные и национальные требования.

Не только в Чехии развивалось революционное движение, в середине XIX в. революции прокатились по большинству стран Центральной и Западной Европы, благодаря чему этот период получил название «Весны народов». Чешскими радикалами прежде всего выдвигались требования автономии в составе Австрийской империи, такой же, какая была предоставлена Венгрии. Кроме того, среди социальных требований было улучшение положения рабочих, которые не имели практически никаких прав и существование их было крайне тяжелым. В 1844 г. в Праге произошло первое выступление рабочих-ткачей, которое власти сумели подавить лишь через три дня.

К 1848 г. в Праге, несмотря на подъем экономики, чрезвычайно обострились социальные, национальные и политические противоречия. Началом революционного движения принято считать 11 марта 1848 г., когда произошел стихийный митинг горожан у Святовацлавских купален. В ходе митинга был избран комитет, названный Святовацлавским, а позднее переименованный в Национальный комитет.

В состав комитета вошли представители как чешской, так и немецкой буржуазии, а также некоторые чешские аристократы. Сразу же после избрания комитет составил петицию к императору Австрии Фердинанду I (1793—1875 гг., император с 1835 г., для Чехии и Венгрии он король Фердинанд V), которая включала следующие

Генерал
Альфред Виндишгрец

требования: учреждение единого сейма для управления всеми чешскими землями, свободы слова, собраний и печати, равенство чешского и немецкого языков во всех областях общественной и политической жизни и др.

18 марта петицию с делегацией от комитета отправили в Вену, однако 27 марта делегация вернулась без ответа, хотя император еще 15 марта обещал дать Чехии конституцию. Это вызвало новые волнения в Праге. Фердинанду была отправлена вторая петиция, на которую наконец был получен ответ: власти разрешили провести выборы в Национальный комитет, надеясь, что тем самым пражан удастся успокоить. Однако в городе по-прежнему сохранялась тревожная обстановка, начались столкновения между чехами и немцами, в результате чего немецкие представители вышли из состава Национального комитета и революционное движение стало исключительно чешским.

2 июня начался новый этап движения — собрался Славянский съезд, в котором приняли участие не только чехи, но и представители других славянских народов Австрийской империи. Съезд выдвинул идею солидарности славян, впервые заявив о стремлениях чехов к самоопределению.

В конце мая — начале июня к движению присоединились пражские рабочие — начались массовые митинги и забастовки на промышленных предприятиях. Все это вызвало огромное беспокойство в Вене, и в Прагу для усмирения волнений был послан генерал Альфред Виндишгрец (1787—1862).

Перед тем как начать действовать, Виндишгрец собрал у Праги огромное войско и направил на город пушки Вышеградских и Петршинских укреплений.

У Виндишгреца был личный повод отомстить пражанам — во время революционных событий была застрелена его жена, выглянувшая в окно.

12 июня началось сражение войск Виндишгреца с восставшими пражанами, которое вошло в историю как Пражское восстание 12—17 июня 1848 г. По всей Праге были сооружены баррикады, на которых сражались студенты, рабочие и представители интеллигенции. Войска Виндишгреца обстреливали город из пушек, от чего пострадали многие районы Праги, особенно Старе Место.

Силы регулярного войска и горожан были неравны, а собранное в провинциях Чехии 80-тысячное крестьянское войско не смогло пробиться к Праге. К концу июня восстание было полностью подавлено, и в городе начались преследования его участников. После поражения Праги Альфред Виндишгрец направился в Вену, где тоже началось восстание.

Несмотря на неудачу восстания, 1848 г. принес Чехии некоторые улучшения — наконец официально была отменена барщина, упразднены некоторые привилегии дворянства, а

Портрет императора Франца-Иосифа I. Художник Франс Ксавьер Винтерхалтер

самое главное — чешский народ впервые за несколько столетий осознал себя единым.

Австрийский престол в революционном 1848 г. занял император Франц-Иосиф I (1830—1916 гг., император Австрии с 1848 по 1867 г., император двуединой Австро-Венгерской империи с 1867 г.), правивший почти до самого конца Австрийской империи. Чрезвычайно консервативная политика императора стала причиной кризиса монархии, политического и экономического упадка империи. На протяжении второй половины XIX в. нарастало недовольство Австрией во всех провинциях, и особенно в Чехии.

Прага в период между двумя революциями

Поражение в восстании никак не сказалось на промышленном подъеме в Праге. В середине XIX в. был отмечен необычайно высокий рост численности населения, связанный с тем, что на новых предприятиях требовались работники, а условия в сельских районах Чехии были гораздо хуже, чем в городах.

Численность населения увеличивалась прежде всего в предместьях, так как именно там начали строиться новые фабрики. Самыми быстрыми темпами развития отличались предместья Смихов, Карлин, Либень и Голешовице. Из перенаселенного центра происходил отток населения в другие районы, прежде всего в Жижков, Вршовицы и Нусли.

В Праге ускоренными темпами происходило развитие основной и наиболее прибыльной отрасли промышленности — машиностроения. Объединенные заводы Брейтфельда, Эванса, Данека и К° производили оборудование для сахарных заводов, которое шло на экспорт; открытый в 1852 г. в Смихове завод Ринггоффера выпускал железнодорожные вагоны; постоянно образовывались мелкие предприятия.

В 1861 г. по решению Вены было восстановлено городское самоуправление в Праге, и начался новый этап общественной, политической и культурной жизни города. В Праге стали постепенно решаться накопившиеся проблемы в области транспорта, обеспечения жилых районов водой, топливом и газом. За относительно короткий период было выстроено 8 новых мостов через Влтаву, построены водонапорная станция, газовые заводы в Жижкове и Смихове, электростанция, а также новые общественные здания.

В 1871 г. были снесены сохранившиеся внутри города укрепления, что позволило наладить сообщение между районами. Часть многочисленных городских предместий была присоединена к Праге.

В середине XIX в. в строительстве Праги начался новый подъем. На архитектуре города очень сильно отразилось бурное развитие промышленности, так как основной задачей строителей стало прежде всего практическое применение зданий. Особенно это было заметно на окраинах и в предместьях, где эстетической стороне новостроек не уделялось почти никакого внимания. Так появились целые районы, застроенные почти одинаковыми домами казарменного типа.

Однако несмотря на практическую направленность строительства, нельзя не отметить, что в этот период появилось и немало настоящих архитектурных шедевров. Национальное возрождение Чехии ярко проявилось в зданиях Национального музея и Национального театра; стали появляться новые архитектурные стили — неоренессанс, неоготика, позднее — необарокко.

В 1860-х гг. Австрия стала конституционной монархией, при этом Венгрии в составе империи была предоставлена широкая автономия, и государство стало именоваться Австро-Венгрией. Чешским партиям не

Первый президент
Чехословакии Томаш
Масарик

удалось добиться такой же автономии, что стало причиной наиболее острых разногласий с венским правительством в последующие десятилетия.

К началу XX в. в Праге вновь началось движение за равноправное положение с Австрией и Венгрией в составе империи. Активизировалась борьба рабочих, которые провели несколько массовых демонстраций и забастовок. Политическая борьба и напряженная обстановка в Праге вынудили австрийское правительство в 1907 г. ввести всеобщее избирательное право и провести выборы от Чехии в парламент империи.

Начало Первой мировой войны в 1914 г. привело к резкому ухудшению положения Чехии. Пострадала и Прага — снабжение города оказалось нарушено, была введена карточная система, кроме того, участились преследования противников войны.

В известном произведении Ярослава Гашека (1883—1923) «Похождения бравого солдата Швейка во время мировой войны» ярко и с юмором изображены действия полицейских чиновников в Праге в начале войны и массовые аресты подозреваемых в сочувствии врагам.

В это время чешские и словацкие эмигранты во главе с Томашем Гарриком Масариком (1850—1937), Эдвардом Бенешем (1884—1948) и Миланом Растиславом Штефаником (1880—1919) начали борьбу за независимость Чехии и Словакии. К концу войны в Праге и по всей стране участились массовые антивоенные выступления, в ходе которых выдвигались политические требования.

Летом 1918 г., после того как забастовка охватила всю Чехию и кризис достиг апогея, в Праге было создано временное правительство во главе с Томашем Масариком, а в октябре, после распада Австро-Венгрии — провозглашена независимость Чехии. 14 ноября того же года было объявлено о создании Чехословацкой Республики.

Столица
Чехословацкой Республики

Прага после провозглашения независимости Чехословакии впервые за несколько столетий стала столицей самостоятельного государства. В городе с невероятной быстротой начали создаваться новые государственные учреждения, открываться дипломатические и торговые представительства, различные ведомства и министерства — Прага должна была соответствовать своему новому статусу. Для превращения провинциального города в крупную европейскую столицу прежде всего было необходимо присоединение к Праге всех предместий. В 1920 г. был принят закон о создании Большой Праги, который вступил в силу с 1 января 1922 г. По этому закону восемь существовавших в то время пражских районов были объединены с 37 близлежащими населенными пунктами.

Затем встал вопрос об упорядочении застройки города. Для этого в 1920 г. была учреждена Государственная регуляционная комиссия, которая должна была рассматривать различные архитектурные проекты и координировать строительство в соответствии с единым планом.

Работа комиссии не всегда была успешной, так как быстро растущий город оказалось очень трудно контролировать. Застраивались не только новые участки, но и старые районы, что было обусловлено быстрым ростом населения и во многом коммерческими интересами застройщиков.

В период Первой Республики отмечался небывалый рост населения Праги, прежде всего за счет миграции. Так, в 1921 г. численность населения составляла немногим более 675 тысяч человек, а в 1930 г. — почти 850 тыс. чел. К 1938 г. количество жителей увеличилось до 960 тыс.

Начало XX в. в Праге было отмечено появлением новых архитектурных направлений, в основе которых лежало стремление порвать с художественными традициями XIX в. Распространение авангардистских и модернистских течений, в частности, кубизма и рондо-кубизма, преобразило облик Праги — были созданы целые кварталы зданий, поражающих своими необычными формами и декором. В 1920—1930-х гг. получили распространение конструктивистские архитектурные течения, которые ставили на первое место соответствие формы назначению.

В этот период появились такие замечательные образцы новой архитектуры, как Национальный памятник на Жижкове, здания юридического и философского факультетов Пражского университета, здание Всеобщего пенсионного управления и др.

К началу Второй мировой войны Прага представляла собой уже достаточно развитый город, сравнимый с крупнейшими европейскими столицами по размерам и уровню промышленности, а также по развитию городской инфраструктуры и коммунальных служб.

Начавшаяся война прервала стремительное развитие города и стала одной из самых черных страниц в истории Праги. В сентябре 1938 г. между Англией, Францией, Германией и Италией было заключено Мюнхенское соглашение о передаче Чехословакией Германии Судетской области, населенной этническими немцами. Президент Чехословацкой Республики, которым тогда был Эдуард Бенеш, был вынужден эмигрировать. Когда население Праги узнало о готовящейся оккупации, в городе началась массовая забастовка.

Второй президент Чехословакии Эдуард Бенеш

На Мюнхенской конференции 1938 г.

22 сентября перед зданием парламента произошла многотысячная демонстрация.

Э. Бенеш, перебравшийся в Лондон, возглавил там правительство в изгнании, которое выступало на стороне стран Антигитлеровской коалиции. В 1943 г. Бенеш подписал договор о союзе с СССР.

15 марта 1939 г. началась немецкая оккупация Чехословакии. Новым президентом стал Эмиль Гаха (1872—1945), который был поставлен перед необходимостью подписать соглашение с гитлеровской Германией об образовании имперского протектората Богемия и Моравия. Чехию полностью оккупировали немецкие войска, Словакия была отделена от Чехии и превращена в номинально самостоятельное государство. Адольф Гитлер прибыл в Прагу и разместился в Пражском Граде.

В Праге начался полицейский террор, особенно тяжело отразившийся на еврейском населении. Большая часть евреев была вывезена в концлагеря и уничтожена. В самом начале оккупации были арестованы и чехи, оказавшие сопротивление новому режиму.

В городе начались преследования чешского населения, из многих учреждений были уволены чешские служащие, большинство промышленных предприятий перешло в руки немцев. Были закрыты все чешские высшие учебные заведения.

В Праге постоянно проводились акции чешских сил Сопротивления — саботаж на промышленных предприятиях, демонстрации. Наконец, здесь был убит создатель

Встреча имперского протектора Богемии и Моравии
Рейнгарда Гейдриха с третьим президентом Чехословакии
Эмилем Гахой

и руководитель РСХА[2], непосредственный организатор Холокоста, а одновременно и заместитель протектора Богемии и Моравии обергруппенфюрер СС и генерал полиции Р. Гейдрих (1904—1942). В 1942 г. Рейгард Гейдрих был назначен руководителем программы по уничтожению европейских евреев. Будучи фактическим протектором Чехии, он с необыкновенной жестокостью проводил мероприятия по осуществлению этой программы, что послужило толчком к организации заговора против него, осуществленного британскими агентами, получившими поддержку от священников Чешской православной церкви.

Утром 27 мая 1942 г. Гейдрих ехал в открытом автомобиле из своего загородного дома в направлении старого королевского замка в Пражском Граде, где находилась его резиденция. На въезде в Прагу его встретили заговорщики, переодетые рабочими, один из них бросил в машину бомбу, а второй выстрелил в Гейдриха и его шофера. 4 июня тяжелораненый Гейдрих скончался. Его смерть послужила сигналом к массовым репрессиям среди мирного населения Чехии.

Оккупационные власти устроили массовые казни, уничтожили все население деревни Лидице, заподозренное в связи с покушавшимися. Всего было убито более 5 тыс. чехов. Когда истина о заговоре была раскрыта, православных священников расстреляли, а Чешская православная церковь была запрещена.

Несмотря на активное противостояние населения оккупационным властям, освобождение Праги произошло только в самом конце войны. 5 мая 1945 г. в Праге началось восстание, и 9 мая с помощью советских войск город был освобожден.

По сравнению с другими городами Центральной Европы Прага очень мало пострадала от военных действий.

---

[2] РСХА — Главное управление имперской безопасности Германии, то есть руководящий орган политической разведки и полиции безопасности Третьего рейха.

В отличие от Варшавы, которая была почти полностью уничтожена, в Праге было разрушено всего несколько зданий.

Прага в годы социализма

После освобождения Праги и большей части Чехии Красной армией управление городом перешло к национальному комитету.

Органом управления Чехией стал Национальный фронт, в который входили демократические левые партии и коммунисты. В феврале 1948 г. коммунисты полностью взяли власть. В июне того же года Э. Бенеш подал в отставку и президентом был избран председатель Коммунистической партии Чехословакии Клемент Готвальд (1896—1953).

В Чехословакии начались политические и экономические реформы. Частная собственность была упразднена.

На улицах освобожденной Праги

Иосиф Виссарионович Сталин
и Клемент Готвальд. Плакат 1950-х гг.

В 1960 г. страну переименовали в Чехословацкую Социалистическую Республику.

В 1968 г. первым секретарем Коммунистической партии Чехословакии стал молодой словацкий политик Александр Дубчек (1921—1992), которого поддерживало большинство населения страны. Правительство под его руководством начало реформы, официальной целью которых была демократизация социалистического строя. Краткий период деятельности правительства Дубчека впоследствии назвали Пражской весной. На деле правительство Дубчека взяло курс на сближение со странами НАТО и на превращение Чехословакии в антисоветский плацдарм в центре Европы. Что это означало, наш народ уже узнал в годы Второй мировой войны.

В целях предотвращения усиления врага в годы холодной войны СССР, Польша, ГДР, Венгрия и Болгария ввели в Чехословакию войска, а Дубчека и других членов чехо-

Густав Гусак

словацкого правительства вызвали для переговоров в Москву. 21 августа 1968 г. в Прагу вошли танки. К власти пришел противник Дубчека — Густав Гусак (1913—1991), который прекратил прозападные реформы. Это был искренний друг нашего народа, на долгие годы предотвративший вхождение своей родины в НАТО. В последующие годы в Чехословакии проводилась политика нормализации.

В годы социализма основное внимание руководством Праги уделялось сохранению и реставрации памятников архитектуры, в частности были реконструированы Национальный театр, комплексы Каролинума и Пражского Града. Построенные в этот период новые здания во многом копировали архитектурные сооружения Советского Союза того времени, а дома в районах массовой застройки практически не отличались друг от друга.

Современная Прага

К концу 1980-х гг. в Чехословакии назрело недовольство политикой Коммунистической партии. В 1989 г. в Праге прошла мирная студенческая демонстрация в память 21-й годовщины ввода советских войск в страну, которую власти Чехословакии разогнали с помощью полиции. Это послужило толчком к началу антикоммунистических выступлений, которые в этом же году привели к так называемой бархатной революции. Помешать ей и защитить интересы нашего Отечества в Центральной Европе тогда было уже некому.

Революцию возглавила общественная организация Гражданский форум под руководством писателя-диссидента, искреннего ненавистника (чего он и не скрывает) России и русского народа Вацлава Гавела (р. 1936). Гражданским форумом коммунистическому правительству были предъявлены требования — отставка действующего президента и амнистия политическим заключенным.

Коммунистическая партия быстро согласилась на создание многопартийного правительства. В декабре 1989 г. были проведены выборы, в результате которых президентом Чехословакии был избран В. Гавел.

1 января 1993 г. Словакия отделилась от Чехии, и возникло новое государство — Чешская Республика. Под руководством В. Гавела начались экономические реформы. В 1999 г. Чехия вошла в НАТО и стала стратегическим врагом России. Чешский воинский контингент принял участие в погроме Сербии, в оккупации Ирака и т.д.

Президент современной Чехии с 2003 г. — Вацлав Клаус (р. 1941).

Сейчас Прага приносит стране огромный доход, в основном за счет большого количества туристов. Большинство культурных памятников восстановлено и доступно для посещения, создана туристическая инфраструктура, открыты современные гостиницы, рестораны, клубы. Древний красивый город вступил в новую эпоху своей жизни.

Старе Место

Старе Место (Старый город) — один из самых живописных районов Праги, в котором находится наибольшее количество памятников чешской культуры.

Старе Место обладает неповторимым очарованием благодаря тому, что в нем среди признанных архитектурных шедевров — элегантных дворцов и величественных храмов — сохранились целые кварталы старинных жилых домов, в которых необыкновенно остро чувствуется дух средневековой Европы.

Для ценителей, интересующихся историей архитектуры, Старе Место станет замечательным наглядным пособием — ведь в его зданиях представлены практически все архитектурные стили, начиная от романского и заканчивая современным.

Староместская площадь

Сердцем Старе Места является Староместская площадь, от которой в разные стороны расходятся узкие средневековые улочки, сохранившиеся до наших дней в почти первозданном виде.

Наряду с Карловым мостом и Пражским Градом эта площадь представляет собой самую знаменитую достопримечательность Праги. Она привлекает не только уникальными старинными зданиями, но прежде всего красотой, над которой не властно время. Во всей Праге нет другого столь же уютного и изысканного места, обладающего необъяснимым очарованием. Причину этого

Староместская площадь

очарования видят не только в возрасте — Староместская площадь появилась намного раньше всех остальных пражских площадей, но и в том, что здесь невольно чувствуется неповторимое волшебство рождественских сказок.

Площадь окружена зданиями Староместской ратуши, ныне превращенной в музей. Ратуша была построена после того, как в 1338 г. горожане добились от короля Яна Люксембургского права на самоуправление.

Ратуша строилась постепенно, по мере того как городская администрация покупала или получала в дар расположенные на площади дома — дом меховщика Микша, дом «У петуха», дом Волфлина, дом «У минуты».

В настоящее время Староместская ратуша — одно из самых привлекательных для туристов мест в Праге. С ней связаны наиболее значительные события чешской истории, но главное, что обязательно хотят увидеть гости города — это часы. Староместские куранты до сих пор поражают сложностью конструкции и удивительной красотой, а в те годы, когда они были созданы, посмотреть на них приезжали со всей Европы.

Часы
Староместской ратуши

Староместский магистрат решил установить на башне часы в начале XV в. Это решение было вызвано тем, что торговавшим на площади людям было необходимо точно знать время, чтобы не опаздывать в церковь к мессе. Однако магистрат решил заказать не простые часы, а настоящий символ привилегированного положения и богатства Праги, который будет вызывать зависть и восхищение приезжих.

Для конструирования часов призвали лучшего на тот момент часовщика Чехии — мастера Микулаша из Кадании. Кроме него, в работе над созданием часов участвовал астроном Карлова университета Ян Шиндель (1370—1443). Куранты начали работать в 1410 г.

Реконструировал часы на Староместской ратуше в 1490 г. ученый магистр Гануш, и его мастерство не только прославило магистра на всю Прагу, но и вызвало искреннее восхищение приезжих из крупнейших европейских столиц. Мастер Гануш, кроме того, создал большинство скульптурных украшений пражских курантов. Ему оказывали почести не только ученые, но и первые лица города, гордившиеся тем, что нигде нет таких часов, как в Праге.

Существует легенда о трагической судьбе мастера Гануша, который, казалось, мог безбедно прожить всю оставшуюся жизнь, полагаясь на благодарность глав города.

По преданию, приматору (главе города) пришла в голову мысль, что магистр Гануш, известный многим благодаря своему таланту, может сделать часы и в другом городе, и, возможно, они будут даже лучше староместских. Этого ни в коем случае нельзя было допустить, чтобы не поколебать славу Праги и не нанести болезненный удар по тщеславию первых лиц города.

Однажды ночью к магистру явились неизвестные люди в масках. Они тихо прокрались в комнату Гануша, отворив двери своим ключом, схватили и ослепили его, а один из них сказал, уходя: «Теперь уж ты не сделаешь других часов!»

Магистр Гануш выжил, но работать больше не смог. Целыми днями он просиживал в углу своей мастерской и с горечью думал о благодарности, которой ему отплатили за его работу. Вся Прага с ужасом обсуждала страшное злодеяние, однако негодяев так и не схватили.

Ослепленный Гануш быстро состарился, его больше не узнавали на улицах, а приматор и городские советники отворачивались при встрече. Когда магистр почувствовал, что умирает, он попросил своего ученика отвести его к ратуше, поднялся в нее и под предлогом, что собирается проверить механизм, сумел испортить часы, и они остановились. Вскоре после этого Гануш умер, а часы еще долгие годы стояли, и никто не мог их починить.

Вопреки романтической средневековой легенде мастер Гануш не был так жестоко наказан за свою работу. Сведений о том, что он являлся магистром университета, нет, известно только, что он был родом из Городца Кралова, а лучшей его работой стали Староместские куранты.

Часы, которые чехи называют просто Орлой, что означает «куранты», являются не просто деталью ратуши, они представляют собой целый комплекс скульптурных элементов, органически сливающихся с архитектурой здания. Прежде всего это собственно часы — круглый циферблат с двадцатью четырьмя делениями, на котором, помимо цифр, начерчены круги, линии и другие знаки, на первый взгляд совершенно непонятные. Под часовым циферблатом расположен второй, с символическими обозначениями двенадцати зодиакальных созвездий. Каждый день круг с созвездиями поворачивается на один зубчик и в течение года каждая картина оказывается наверху. Над часами находятся две небольшие дверцы, украшенные звездами.

По бокам часы ограничены пилястрами, украшенными рельефным каменным орнаментом и небольшими статуями, которые изображают Смерть, турка, скрягу с кошельком, святых и др. Венчает все изящно изогнутая крыша, выступающая из стены и опирающаяся на пилястры. Фигурок апостолов изначально не было, их установили гораздо позже, в XVII в.

В XIX в. Орлой отремонтировали и установили новую календарную доску, написанную сыном Антонина Манеса, чешским художником, которого часто называют отцом чешской живописи, Йозефом Манесом (1820—1871). Сейчас часы украшает копия работы Манеса, оригинал хранится в музее Праги.

Каждый раз во время боя часов разворачивается настоящее представление, которого с нетерпением ожидают сотни туристов с разных концов света. Фигура Смерти в виде скелета в нижнем окошке ударяет в колокол, отбивая время, одна из дверец над циферблатом открывается и из нее медленно появляются фигурки двенадцати святых апостолов, которые уходят во вторые дверцы, описывая по пути полукруг. За фигурками следует сам Христос. Каменные апостолы не просто проходят мимо, они поворачивают головы к зрителям. Фигура Смерти переворачивает песочные часы и кивает фигуре турка, в ответ тот отрицательно качает головой. В это же время фигурка человека, символизирующая скупость, встряхивает кошельком, а изображающая транжиру — смотрится в зеркало.

Нетрудно представить, какое впечатление Староместские часы производили в эпоху Средневековья. Для простых людей они были почти чудом; для тех, кто интересовался физикой и астрономией, — прекрасным инструментом для определения положения Солнца, Луны и созвездий, времени захода и восхода солнца текущим днем.

Необходимо удостоить внимания и саму башню, на которой установлены часы. Она одна из самых высоких в этой части города — ее высота достигает 70 м. Башня была построена еще в XIV в., и с ней связаны многие исторические события. В частности, на несущей балке башни находится мемориальная доска, напоминающая о том, что рядом на мостовой находится место казни руководителей бунта 1621 г.

Интересна и конструкция башни — подняться на нее можно по дорожке, которая спиралью поднимается вверх, в отличие от других башен Праги, где для подъема используются лестницы.

Еще одной достопримечательностью Староместской площади является готический костел Девы Марии перед Тыном, так называемый Тынский костел, расположенный напротив башни с Орлоем. Две башни костела, второго по значимости в Праге после собора Св. Вита, величественно возвышаются над площадью. Этот храм первоначально, в XI в., был романской часовней при госпитале для иностранных купцов, приезжавших в Прагу. Двор был огорожен тыном. В XII в. часовню перестроили в трехнефный раннеготический костел. В 1350 г. началась последняя перестройка Тынского храма, после которой он приобрел нынешний вид. Строительство длилось с перерывами больше 150 лет и завершилось в 1511 г.

После окончания Гуситских войн, во время правления Йиржи из Подебрад, был построен западный щипец костела, на который водрузили статую короля и золотую чашу — символ требований гуситов. В 1626 г. на место статуи короля поместили скульптурное изображение Девы Марии с нимбом, сделанным из золотой чаши.

Тынский храм, в отличие от многих костелов того времени, практически не изменился со времени окон-

Костел Девы Марии перед Тыном в XIX в.

чания постройки и сохранил свой готический облик. Единственным значительным изменением стала замена готического свода центрального нефа на барочный после пожара 1679 г.

Собор примечателен тем, что в нем когда-то играл на органе великий композитор Кристоф Виллибальд Глюк (1714—1787). В Тынском храме похоронен живший при дворе императора Рудольфа II, известного своим покровительством наукам и искусствам, знаменитый датский астроном Тихо Браге (1546—1601), мраморное надгробие которого встроено в стену.

Внутреннее убранство храма поражает величием и редкой гармоничностью, несмотря на то, что общий готический образ с рельефами и строгими формами соседствует с барочным декором алтарей. Наиболее интересными деталями интерьера являются алтарь с картинами «Святая Троица» и «Вознесение Девы Марии», написанными художником Карелом Шкретой (1610—1674), и северный портал работы мастерской Петра Парлержа, рельеф над дверями которого изображает душу грешника, из-за которой сражаются черти, и душу праведника, сопровождаемую на небо ангелами. Петру Парлержу приписывают и создание тимпана с вычеканенными на нем страстями Иисуса. Одним из немногих готических элементов декора является кафедра, расположенная перед надгробием Тихо Браге.

Оказавшись на Староместской площади, нельзя не обратить внимание на дома, расположенные вокруг нее. Прямо перед фасадом Тынского храма расположен дом, выстроенный в стиле венецианского Возрождения. Ранее в этом доме располагалась Тынская школа, где преподавал пражский архитектор Матиаш Рейсек (1445—1506).

Первоначально здание школы было выполнено в готическом стиле, однако в XVI в. его перестроили. Рядом с этим домом располагаются другие, не менее примечательные, например, дом «У белого единорога», в котором родилась чешская певица Жозефина Душкова (1754—1824), давшая в своем поместье приют Вольфгангу Амадею Моцарту (1756—1791); или Шторхув дом, роспись которого создана по эскизам знаменитого художника Миколаша Алеша (1852—1913) и представляет собой изображение покровителя чехов святого Вацлава, въезжающего на Староместскую площадь на белом коне.

Вацлав Святой (ок. 907—935 или 936) — чешский князь из рода Пржемысловичей, святой, почитаемый

Св. Петр. Скульптура
Тынского костела

Архангел Михаил.
Скульптура Тынского костела

как католиками, так и православными (под именем св. Вячеслава), патрон Чехии. Правил с 924 г. Сын князя Вратислава и язычницы Драгомиры, Вацлав с тринадцати лет воспитывался в христианской вере своей бабушкой (матерью отца), святой княгиней Людмилой (? — 927), крещенной в свое время святителем Мефодием, просветителем славян. Его мать-язычница Драгомира была очень недовольна влиянием свекрови на сына и преследовала ее, так что Людмиле пришлось удалиться в замок Тэтин, где она и погибла от рук подосланных снохой убийц. Мощи святой Людмилы ныне покоятся в Праге, в храме во имя святого Георгия Победоносца.

Став князем, Вацлав ревностно вводил христианство в Чехии в западной (католической) форме. В Праге он построил церковь во имя Св. Вита.

Младший брат Вацлава Болеслав был воспитан матерью в язычестве. Желая захватить престол, он организовал заговор против Вацлава и, воспользовавшись поддержкой знатных вельмож-язычников, совершил братоубийство. Произошло это во время пира (по иной версии — у входа в церковь). Интересно, что впоследствии Болеслав раскаивался в содеянном, и так как в день убийства у него родился сын, назвал его Страхквасом, что означало «страшный пир». Болеслав также дал обет посвятить сына служению Богу.

Вацлав пользовался большой любовью своего народа, после смерти он был канонизирован церковью и стал патроном Чехии. Могила св. Вацлава в соборе Св. Вита в Праге является местом массового паломничества. Его останки, шлем, меч и панцирь почитаются как святыни. День гибели св. Вацлава отмечается в Чехии на государственном уровне.

Дом «У Каменного звону» на Староместской площади бросается в глаза тем, что в его угол встроен знак, соответствующий названию — колокол. По преданию, в этом доме жила святая Людмила, бабушка святого Вацлава, и они вместе через потайной подземный ход посещали подземную часовню под Тынским храмом, где специально для них священник проводил церковную службу. В 1333 г. в этом доме останавливался император Карл IV. В настоящее время дом является музеем живописи.

Последним зданием в ряду слева от Часовой башни является дом «У минуты», декор стен которого выполнен в технике сграффито. Существует версия, что дом когда-то принадлежал предкам голландца Петера Минуита (1589—1638), губернатора колонии Новая Голландия с 1626 г., купившего в свое время у индейцев остров Манхэттен. Дом был выстроен в готическом стиле в XV в., однако позже его фасад был перестроен в стиле ренессанс. Известно, что «У минуты» — один из многих домов в Праге, где жил Франц Кафка (1883—1924).

Одно из зданий ратуши, располагавшееся рядом с башней и замыкавшее площадь с запада, было полностью разрушено во время освобождения Праги в 1945 г. и до сих пор не восстановлено. Интересно, что многие дома в Старе Месте и в других районах Праги имеют вместо номеров оригинальные названия. Этот обычай появился в Средние века, и многие названия отражали особенности архитектуры дома, характер его первого владельца, имя строителя и др. Подавляющее большинство домов на Староместской площади построено на фундаментах, стоявших здесь ранее романских и раннеготических домов. В этом можно убедиться, спустившись в многочисленные подвальчики, где ныне располагаются уютные кафе.

В центре Староместской площади стоит памятник Яну Гусу, который был установлен в 1915 г., в пятисотую годовщину его казни. Автором памятника является скульптор Ладислав Шалоун (1870—1946). Несмотря на то что скульптурное изображение великого проповедника выполнено в стиле модерн, оно органично вписывается в готическо-ренессансный облик площади.

Памятник Яну Гусу на Староместской площади

Современная панорама Праги

Вид Праги в XV в.

Св. Войтех

Св. Вит

Памятник Карлу IV

Матье из Арраса — автор проекта собора Св. Вита

Петр Парлерж — строитель собора Св. Вита

Собор Св. Вита. Золотые ворота

Собор Св. Вита. Надгробие короля Чехии Пржемысла
Отакара II

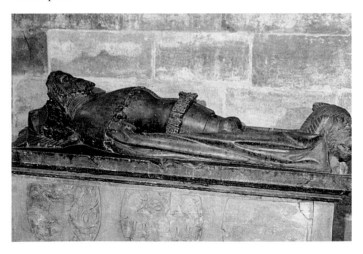

Рельефы Северного портала костела Девы Марии перед Тыном

Купол храма Св. Микулаша

Вид на Карлов мост из арки предмостной башни

Св. Бернард Клервосский перед Девой Марией.
Скульптура из ансамбля Карлова моста

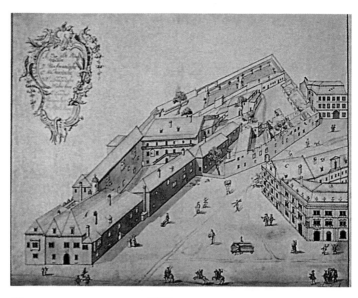

Карлов университет в XVI в.

Карлов университет в наши дни

Костел Св. Микулаша и памятник Яну Гусу
на Староместской площади

Еще одной достопримечательностью Староместской площади, на которую стоит обратить особое внимание, является монументальный храм Св. Микулаша, который представляет собой аналог собора Св. Микулаша на Малой Стране. Построен этот собор был Килианом Игнацем Динценгофером в 1732—1737 гг. Храм украшает огромная хрустальная люстра в форме императорской короны, подаренная Праге русским царем Николаем II. Некоторое время храм сдавался внаем Русской православной церкви.

Также на площади находится один из самых элегантных образцов архитектуры эпохи позднего барокко и рококо — дворец Гольц-Кинских, ставший свидетелем многих значительных событий чешской истории. Проектировал этот дворец тот же архитектор, что построил храм Св. Микулаша — Килиан Игнаций Динценгофер, а воплотил проект итальянец Ансельмо Мартино Лураго (1701—1765). В этот дворец по приглашению графа Леопольда Йозефа

Кинского (1764—1831) приезжал играть Людвиг ван Бетховен (1770—1827), а в немецкой гимназии, располагавшейся во дворце, позднее учился Франц Кафка. С балкона дворца обращались к народу видные политические деятели Чехии — Клемент Готвальд и Вацлав Гавел.

Целетна улица и Пороховая башня

Целетна улица, ведущая от Староместской площади к Пороховой башне (Прашной бране), — одна из многих хорошо сохранившихся улиц Старе Места, пройдя по которой можно в полной мере ощутить атмосферу старой Праги.

Название «Целетна» произошло от слова «цалны» — кулинарные изделия, напоминающие крендели. Когда-то на этом месте жили пекари, делавшие цалны. Улица

Целетна улица

практически вся застроена средневековыми домами, среди которых можно выделить несколько наиболее интересных.

Дом № 2 по Целетной улице носит название Сикстов, по имени одного из его хозяев, купившего дом в 1567 г. Готический дом был перестроен в стиле барокко, а скульптуры на его фасаде принадлежат работе мастерской Матиаша Бернарда Брауна.

Этот дом примечателен тем, что в нем некоторое время жил Франческо Петрарка (1304—1374). Известно, что некоторое время Сикстов дом принадлежал Филиппу Фабрициусу (1576—1640), одному из королевских советников, выброшенному из окна канцелярии во время второй дефенестрации в 1618 г. В 1888—1889 гг. здесь вместе с семьей жил Франц Кафка. Долгое время ходили слухи, что перед тем, как покинуть дом, его обитатели спрятали в нем огромные богатства, однако подтверждений этому нет. Кроме того, с домом связана и легенда о Фаусте, который якобы здесь жил.

Напротив Сикстова стоит дом № 3 — «У трех королей». Он практически не перестраивался, поэтому один из немногих на улице сохранил первоначальную готическую архитектуру. В нем также некоторое время жил Кафка.

Далее по улице расположен дом, новый по сравнению со многими другими, однако достаточно известный. Он был построен во втором десятилетии XX в. Йозефом Гочаром (1880—1945) в кубистском стиле. Название «У Черной Мадонны» символизирует состояние земли от момента оплодотворения до того времени, как она оживет под теплыми солнечными лучами.

Здание находится на месте, где раньше стоял дом «У золотой решетки», причем фигура за золотой решеткой была перенесена архитектором на новый дом со старого. В настоящее время в доме «У Черной Мадонны» располагается экспозиция работ чешских кубистов и книжный магазин.

По правой стороне улицы, недалеко от Пороховой башни, расположено здание, в котором раньше находился

Дом «У Черной Мадонны»

монетный двор. Примечательно, что именно в этом здании в 1848 г. произошли первые сражения горожан с войсками Габсбургов. В доме рядом, «У золотого ангела», где в те времена была гостиница, жил известный русский анархист Михаил Александрович Бакунин (1814—1876) и располагался революционный штаб. Под монетным двором в Средние века находилось подземелье с многочисленными ходами, в котором собирались члены монашеского ордена тамплиеров. О том, что здесь когда-то были тамплиеры, свидетельствует название близлежащей улицы — Темпларска.

Пройдя по Целетной улице от Староместской ратуши, попадаешь к Пороховой башне, прекрасному образцу позднеготического искусства. Осмотр ее включен во многие туристические маршруты. Пороховая башня расположена на восточной окраине Старе Места. Это сооружение представляет собой башню высотой 65 м с проходной аркой внизу, и когда-то, в Средние века, оно служило воротами для въезда в город. Построена Пороховая башня была на месте старой, называвшейся Одранойы, то есть

Ободранной башней, поэтому первоначально ее называли Нова веж (Новая башня).

Первый камень Пороховой башни, являвшейся частью укреплений Старе Места, заложил сам король Владислав Ягеллон. Строили башню как подобие предмостной башни Карлова моста. В конце XIV в., когда по соседству с башней был построен королевский дворец, ее соединили с ним крытой галереей.

После того как королевская резиденция была перенесена в Пражский Град, башня перестала выполнять декоративные и стратегические функции и была превращена в пороховой склад, откуда пошло ее новое название.

Башня сильно пострадала во время осады Праги в 1757 г. прусскими войсками и была реконструирована только в 1875—1886 гг. Во время восстановления на стенах башни были установлены новые скульптуры в неоготическом стиле вместо разрушенных готических и построен купол.

Пороховая башня

Прекрасный вид на прилегающие окрестности Старе Места открывается с галереи, которая расположена в верхней части башни.

Пражский Муниципальный дом

На площади Республики, недалеко от Пороховой башни, находится одно из самых интересных зданий Старе Места — Пражский Муниципальный дом. Стиль, в котором выполнено это строение, можно назвать пражской сецессией, с которой соединены элементы необарокко, неоренессанса и др.

Пражский Муниципальный дом, возведенный на месте, где в Средние века находился королевский двор, предназначался для репрезентативных целей — то есть был призван служить главным административным зданием не только Старе Места, но и всей Праги.

В 1903 г. в Праге прошел конкурс архитекторов, которые претендовали на получение заказа на строительство

Пражский Муниципальный дом

здания. Жюри конкурса, в роли которого выступал городской совет, после долгих сомнений постановило поручить создание проекта архитекторам Антонину Балшанеку (1865—1921) и Освальду Поливке (1859—1931). Летом 1905 г. фирма «Шлаффер и Шебек» начала строительство здания по их проекту, а закончила в 1912 г. Расходы на строительство и оборудование составили более 6 млн крон, огромную по тем временам сумму.

На протяжении XX в. дом неоднократно реконструировался, последняя перестройка проводилась в 1994—1997 гг.

Монументальный и роскошный облик Муниципального дома был настолько необычен, что вызвал в Праге неоднозначный отклик. Многие критиковали его архитектурную композицию, которая ко времени окончания строительства казалась устаревшей.

В настоящее время все споры вокруг дома ушли в прошлое и каждый может полюбоваться прекрасным и гармоничным зданием с роскошной скульптурной отделкой работы лучших мастеров.

Пластика, украшающая весь фасад здания, по большей части представляет собой исторические и национальные символы чешского народа, Праги, изображения легендарных личностей и важнейших исторических событий. Среди скульптур можно увидеть и аллегорические изображения промышленности, торговли, транспорта, философии, искусства, науки и др.

Помимо крупных скульптур здание украшено растительным орнаментом в стиле сецессии. Над фонарями фронтонов и на шпилях башен находятся интересные пластические элементы декора — вазы, картуши, тумбы, стилизованные зубцы и др.

Скульптурное убранство Муниципального дома, помимо великолепных форм, привлекает внимание материалами, из которых выполнена пластика. Для оформления использован тесаный натуральный и искусственный камень, медь и бронза, декор на крыше выполнен из меди, титан-цинка и цинка. Мелкие детали, такие как перила и навесы и пр., выполнены из кованого металла и покрыты позолотой или лаком.

Две центральные скульптурные группы «Унижение и воскрешение народа», расположенные по сторонам экседры центрального купола, выполнены Ладиславом Шалоуном, автором статуи Яна Гуса на Староместской площади. Над пилонами портика главного входа стоят два атланта, несущих «Волшебный фонарь» работы Карела Новака (1875—1950). В проемах 15 окон второго этажа имеются сделанные этим же скульптором маскароны — аллегорические лепные головы, богато декорированные растительным орнаментом. Каждая голова представляет какое-либо направление искусства, науки или хозяйственной деятельности.

Вокруг всего здания на уровне карниза второго этажа проходит цепочка из медальонов с рельефными изображениями фигур в национальных костюмах, символизирующих различные области Чехии.

В галерее скульптур над верхним карнизом Муниципального дома представлены следующие фигуры: символическое изображение «Духа истории» в левом углу главного фасада, работы Франтишека Роуса (1872—1936), аллегории Письменности, Ваяния, Строительства и Живописи Антонина Штрунца (1871—1947) в правом углу вокруг башенки; на северном фасаде особенно интересны скульптуры «Драма» и «Музыка» Иосифа Маржатки (1874—1937), представляющие собой обнаженных полулежащих мужчину и женщину; на южном фасаде над окнами находятся фигуры Сеятель и Жница Антонина Мары (1877—1946).

Ниже расположены и другие, не менее примечательные скульптуры — на уровне второго этажа на главном фасаде портрет М. Рейсека, построившего Прашну брану, работы Ченека Восмика (1860—1944), там же, но на уровне первого этажа, помещена мемориальная доска с двумя аллегорическими фигурами работы Ладислава Шалоуна (1870—1946). На круглом Западном ризалите находятся изображения сказочных героев Русалки и Волынщика из искусственного камня.

Парадный вход центрального фасада Муниципального дома подчеркнут портиком с декоративным полукруглым балконом. Над главным куполом находится экседра, украшенная картиной из стеклянной цветной мозаики. Эскизами для картины, называющейся «Апофеоз Праги», послужили работы художника Карела Шпиллара (1871—1939). Картину окаймляет золотая надпись, автором которой является поэт Сватоплук Чех (1846—1908): «Удачи тебе, Прага! Сопротивляйся злу времени, как устояла ты перед всеми грозами».

Здание Муниципального дома связывает с Прашной браной мостик, выполненный в неоготическом стиле и оригинально декорированный. Авторами мостика являются Антонин Штрунц и Йозеф Пекарек (1873—1930).

Муниципальный дом резко отличался от других подобных сооружений в Праге самым современным по тем временам оборудованием. В нем было центральное отопление, вентиляция, пылеуловители, приспособление для охлаждения подвалов, холодильники для приготовления льда, лифты, прачечная и сушилка, помещение для мытья бутылок, пневматическая почта, телефон и многое другое.

Интерьер Муниципального дома не менее роскошен, чем наружное убранство. Парадный вход ведет в главный вестибюль, облицованный натуральным мрамором. Из вестибюля в залы ведет дверь, по сторонам которой располагаются рельефы работы Богумила Кафки (1878—1942), символизирующие флору и фауну.

По правую сторону от вестибюля расположен Французский ресторан, который сохранил свой первозданный вид. Деревянные кабины, облицовку стен и столы выполнила пражская фирма «АНТ, Баумгартл и сын». На боковой стене можно увидеть картину «Прага принимает своих гостей», слева от входа находится аллегорическое изображение традиционного для Чехии хмелеводства, справа — виноградарства.

Вестибюль Муниципального дома продолжает холл с лестницей, которая ведет к Главному гардеробу. В нем сохранилось оборудование, установленное сразу после постройки здания. Из холла ведут лестницы в полуподвальный этаж и в верхние этажи здания.

Из холла можно попасть в Новое фойе, где в настоящее время находятся культурно-информационный центр и буфет, задняя часть фойе соединена лестницей с главным гардеробом. Лестница, ведущая в полуподвальный этаж, облицована узорчатой керамической плиткой, на которой есть виды старой Праги. Лестничные площадки оформлены рельефами работы А. Мары.

В полуподвальном этаже находится нижнее фойе с украшенным орнаментальной мозаикой полом. Здесь расположен небольшой фонтан, облицованный керамической плиткой. На этом этаже, под помещением Французского ресторана, находится Пльзеньский ресторан, где привлекают внимание картины из керамической мозаики «Чешская жатва», «Юноша» и «Девушка» работы Якуба Обровского (1882—1949).

С другой стороны здания, в том же полуподвальном этаже, расположен Винный ресторан с уникальными рельефными плитками и зеркалами. Над ним находятся игорные залы и Большой бильярдный зал. На втором этаже Муниципального дома находится Главное фойе, из которого можно пройти в центральный Зал Сметаны, занимающий несколько этажей. По обеим сторонам сцены в Зале Сметаны находятся скульптурные группы работы Ладислава Шалоуна «Вышеград» и «Славянские танцы». Потолок расписан К. Шпилларом. На парапетах балконов и лож находятся медальоны с портретами чешских композиторов, написанные художником Алоисом Калводой (1875—1934). Доминантой зала является орган, украшенный круглым позолоченным бронзовым рельефом.

Из фойе можно попасть в Приматорский зал, являющийся залом мэра Праги, оформленный знаменитейшим Альфонсом Мухой (1860—1939). На потолке зала находится написанная им картина «Славянское

В Зале Сметаны Пражского Муниципального дома

единство», которую поддерживают восемь пандативов (лепных скульптурных украшений) с изображениями гражданских добродетелей в виде известных личностей. «Верность» символизирует Ян Амос Коменский, «Бдительность» — жители юго-западных приграничных районов Чехии (ходы), «Силу» — Войтех из Пернштейна (один из самых могущественных чешских феодалов XVI в., претендент на королевскую корону), «Принципиальность» — Ян Рогач из Дубе (самый таинственный чешский полководец времен Гуситских войн; доподлинно о нем известно только то, что он был сторонником всеобщего равноправия, последним гуситом, продолжавшим воевать против императора Сигизмунда, за что и был казнен в 1437 г.), «Самостоятельность» — Йиржи из Подебрад, «Справедливость» — Ян Гус, «Материнскую мудрость» — Элишка Пршемысловна (мать короля Карла IV), «Воинственность» — Ян Жижка. На патриотические темы выполнены и картины на стенах зала.

Занавески в проходах, мебель, боковое освещение и витражи в этом помещении также были выполнены по эскизам знаменитого Альфонса Мухи. Прикрывающие радиаторы отопления декоративные панно — тоже копии картин этого художника.

Стоит посетить и зал известного чешского политического деятеля барона Франтишека Ладислава Ригера (1818—1903). Зал украшает бюст Ригера работы Йозефа Вацлава Мыслбека (1848—1922), а также работы Макса Швабинского (1873—1962) под единым названием «Чешская весна».

В люнете над одной из дверей зала находятся портреты Йозефа Вацлава Мыслбека, Миколаша Алеша, Йозефа Манеса, Бедржиха Сметаны и Антонина Дворжака. В другом люнете — изображения Сватоплука Чеха, Яна Неруды, Ярослава Врхлицкого, Божены Немцовой, Юлиуса Зейера.

В переходе, ведущем к улице «У Прашной браны», находится ряд помещений, называемых «дамские салоны», среди которых особенно выделяется Малый салон Божены Немцовой, украшенный фонтаном работы Освальда Поливки. Здесь же находится великолепно декорированный Малый моравско-словацкий салон с большим аквариумом.

В промежуточном этаже находились помещения, где проводились собрания различных общественных организаций и клубов. В настоящее время в бывших помещениях Мужского и Аграрного клубов установлены мемориальные доски, напоминающие о событиях 28 октября 1918 г. На одной из них написано следующее: «По этим залам проходила история. Здесь в ожидании падения Австрии и подготавливая освобождение чехов, заседал Национальный комитет. Здесь в день триумфа он принял на себя управление Чехией».

Йозефов

Пройдя от Староместской площади по Парижской улице, можно попасть в Йозефов, бывшее еврейское местечко, которое является одним из самых старых еврейских кварталов в Европе. Первые поселения евреев появились в

Старое еврейское кладбище

Праге уже в X в. и первоначально располагались на Малой Стране и под Вышеградом. В XII в. евреи переселились в Старе Место, где для них было выделено место, огороженное стеной. Первоначально целью возведения стены была защита от погромов со стороны христианского населения Праги, однако в конце концов стена стала главным препятствием для переселения евреев в другие места.

XVI в. можно считать временем образования еврейского гетто, имевшего собственную администрацию и обособленного от остальной части города. Евреям было запрещено переезжать из гетто, общаться с христианами и ходить по городу без опознавательных знаков на одежде.

Следует отметить, что такие порядки были не только в Праге, но и в других городах Центральной Европы. Нередки были еврейские погромы, совершаемые христианским населением. Самый масштабный погром произошел в 1389 г., когда погибли около 3 тыс. евреев.

Чаще всего единственной защитой от нападений христиан для евреев оказывался король, однако далеко не все чешские властители покровительствовали еврейскому поселению, многие осложняли его жизнь поборами и массовыми выселениями.

Еврейский квартал долгое время оставался как бы городом в городе и только при императоре Иосифе II был объединен с Прагой. Это стало возможным благодаря императорскому манифесту о веротерпимости, изданному в 1781 г., который формально, но все же запрещал ограничения в правах по религиозному признаку.

Позднее, в 1850 г., в честь императора еврейское поселение было переименовано в Йозефов. Уравнение жителей Йозефова в правах с остальными пражанами произошло в 1867 г.

В середине XIX в. Еврейский квартал представлял собой маленький район, тесно застроенный убогими домиками, густо заселенными беднотой. Все, у кого было хоть немного денег, стремились выбраться из гетто. Уже в 1850 г. евреи составляли только 80 % населения, а в конце XIX в. — 20 %. На место уехавших стали заселяться бедняки из других пражских районов.

Перенаселенный и невероятно грязный район не только портил облик центра города, но и был очагом возникновения массовых эпидемий, поэтому император Франц-Иосиф принял план расчистки трущоб.

В XIX—XX вв. практически все старые постройки Йозефова были снесены и на их месте построены более современные жилые дома. Однако в еврейских кварталах сохранились главные достопримечательности — старинные синагоги, ратуша и старое еврейское кладбище.

Огромное количество материальных памятников еврейской культуры, находящихся в Йозефове, было привезено в период Третьего рейха нацистами в Еврейский музей, основанный в 1906 г. Они решили создать на его основе Музей уничтоженного народа, который напоминал бы потомкам о том, как был «окончательно решен еврейский вопрос». В Прагу доставлялись предметы культа, древние рукописи и исторические документы со всей Чехии. Поэтому в настоящее время все сохранившиеся старинные здания и еврейское кладбище представляют собой единый музейный комплекс с одной из самых больших в мире коллекций экспонатов.

Старо-новая синагога — одна из главных достопримечательностей Йозефова. Она — древнейшая из сохранившихся в Европе синагог и один из немногих памятников пражского еврейского поселения, почти полностью разрушенного в начале XX в.

Несмотря на довольно специфический характер архитектуры этого еврейского ритуального здания, синагога, несомненно, обладает многими чертами, свойственными раннеготическим чешским постройкам — имеет два нефа и своды, опирающиеся на восьмигранные колонны.

В стене Старо-новой синагоги находится тайник, в котором хранится Тора с текстом на древнееврейском языке. В прилегающем к синагоге скверике установлена статуя Моисея.

Кривая и узкая Майзелова улица в Еврейском квартале примечательна тем, что именно на ней расположено большинство еврейских памятников архитектуры. Названа улица в честь жившего в Йозефове старосты Марека Мордехая Майзела (1528—1601), на средства которого здесь выстроено все, за исключением Старо-новой синагоги.

Здание Высокой синагоги было выстроено в конце XVI в. на деньги, выделенные старостой Еврейского квартала Мордехаем Майзелом. Им же была построена еврейская ратуша, единственная в мире, которая находится не на территории Израиля. В первозданном виде ратуша просуществовала до перестройки в 1763 г. когда здание было переделано в стиле рококо, и достроена башенка с часами, одни из которых обычные, с римскими цифрами, а другие с еврейскими цифрами и стрелками, движущимися в обратном направлении. Современный вид фасад ратуши принял в XIX в.

Мордехай Майзел был очень богатым человеком, у него брал кредиты даже сам император Рудольф II, который постоянно нуждался в средствах для покупки произведений искусства. Взамен император предоставлял различные привилегии евреям, ослабляя многовековой гнет.

Майзел был настоящим благодетелем Йозефова. На свои деньги он содержал школы, госпиталь и даже еврейские театры, а также вымостил все улицы гетто. Ренессансная Майзелова синагога была первоначально предназначена для его семьи. В 1905 г. ее перестроили в неоготическом стиле.

Улица «У Старого кладбища» ведет к Клаусовой синагоге, построенной на месте трех домов, в которых раньше проводились религиозные обряды и размещалась талмудическая школа. Дома назывались Клаусами, и после того как они сгорели, в 1694 г., здесь появилась Клаусова синагога, выполненная в стиле барокко. В главном зале этой синагоги ныне размещается выставка старинных книг и рукописей на древнееврейском языке.

Пинкасова синагога первоначально представляла собой домашнюю молельню семьи Горжовских-Горовиц, а позже была перестроена и превращена в общедо-

Пинкасова синагога

ступную синагогу. Появление синагоги относится ко второй половине XV в. После окончания Второй мировой войны внутренние помещения синагоги были переделаны в мемориал, посвященный евреям Чехии и Моравии, погибшим в концлагерях. Более 77 тыс. имен погибших написаны на стенах синагоги.

Испанская синагога — самая новая в Йозефове. Она была построена в 1893 г. к 400-летию изгнания евреев из Испании на месте самой первой праж-

Надгробие Иегуды бен Бецалель на Старом еврейском кладбище

ской синагоги «Старой школы», построенной в XI в. Сейчас здесь разместилась экспозиция «История евреев на территории Чехии», продолжение выставки в Майзеловой синагоге. Стиль, в котором оформлена синагога, очень напоминает восточные дворцы.

При посещении Йозефова никак нельзя обойти вниманием Старое еврейское кладбище, одно из самых интересных еврейских кладбищ в мире. Открыто оно было в 1439 г., при этом на участок перенесли несколько еще более старых надгробий с кладбища Нове Места. Захоронения прекратились в 1787 г.

Всего на кладбище находится около 12 тыс. надгробий и памятников, размещенных на очень небольшой площади. Из-за тесноты надгробия располагаются почти вплотную, а иногда и заходят одно на другое, так как более новые могилы находятся прямо над старыми, их разделяет только слой земли. Памятники, появившиеся раньше, сделаны преимущественно из песчаника, более поздние — из розового и белого мрамора.

У входа на кладбище располагается обрядный зал, построенный в неороманском стиле в 1906 г. На Старом еврейском кладбище есть ряд могил выдающихся личностей, отмеченных табличками с именами и краткой биографией, среди которых находятся похороненный в 1609 г. Иегуда бен Бецалель (рабби Лёв) (1512—1609), согласно легенде, создатель искусственного человека — Голема, и Мордехай Майзел.

Монастырь Св. Анежки Чешской

На северо-восточной окраине Йозефова, на берегу Влтавы, находится одна из первых крупных готических построек Праги — монастырь Святой Анежки, основанный Вацлавом I для его сестры, блаженной Анежки. Строительство монастыря было начато королем в 1234 г., а завершилось в 1382 г.

Принцесса Анежка, отличавшаяся глубокой религиозностью, прониклась идеями, которые проповедовал святой Франциск Ассизский (1182—1226), и решила организовать в Чехии монастырь кларисс — женского отделения францисканского ордена.

Около 1240 г., когда уже была построена часть монастырских помещений, по настоянию Анежки здесь же был основан и мужской францисканский монастырь. Таким образом, монастырский комплекс получился двойным, что встречается довольно редко. Первоначально было запланировано построить для монастыря один костел, однако когда добавился мужской монастырь, костел отошел к нему, и пришлось строить второй. Таким образом в монастырском комплексе появилось два костела — Св. Франциска и Св. Сальватора.

Костел Св. Франциска представлял собой одно из самых первых зданий в Чехии, построенных в раннеготическом стиле. В этом храме был похоронен король Вацлав I.

Оба храма обладали сходными чертами в архитектуре — были однонефными, с оконными проемами,

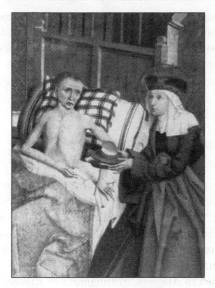

Св. Анежка Чешская, ухаживающая за больным.
Неизвестный мастер XV в.

украшенными каменной резьбой. В настоящее время от костела Св. Франциска сохранился только пресвитерий — пространство между престолом и ступенью перед алтарем, так называемой солеей.

По окончании строительства Анежка стала первой настоятельницей монастыря, однако в том же году, почти сразу после вступления на этот пост, она умерла.

В период, предшествующий Гуситским войнам, монастырь славился своей богатой коллекцией церковных реликвий и мощей. С этим связана интересная история: Карл IV, большой ценитель подобного рода предметов, посетив монастырь, увидел среди мощей палец Николая-угодника и пожелал отрезать от него кусочек для собственной коллекции. Однако, как только он начал резать палец, из-под ножа показалась кровь, и Карл решил не трогать реликвию. После этого царапина от ножа закрылась, и палец снова стал целым, как и прежде.

Монастырь был разграблен во время Гуситских войн, все монахи из него ушли, а его территория превратилась в военный лагерь. Однако в 1436 г. монастырь снова обрел свой статус.

В 1782 г., при императоре Иосифе II, монастырь расформировали, а здания стали использоваться для других целей — одно время они служили пристанищем для городской бедноты, использовались как склады и мастерские. Все это время монастырские постройки постепенно разрушались и только в 1950-х гг. их полностью отреставрировали и передали монастырь в ведение Национальной галереи.

В настоящее время в музее располагается замечательная выставка средневекового искусства Чехии и Центральной Европы.

Как у большинства исторических зданий Праги, у монастыря Св. Анежки имеется своя легенда. По преданию, в монастыре живет привидение девушки, отданной в монастырь отцом, не желавшим, чтобы она встречалась со своим возлюбленным — рыцарем. Однако, несмотря на запрет, девушка и рыцарь продолжали встречаться. Узнав об этом, отец подстерег их ночью и набросился с мечом. Рыцарь был ранен, девушка погибла, а перед смертью отец проклял ее, сказав, что не будет ей покоя даже после гибели, пока стоят монастырские стены.

Клементинум

Гуляя по Старе Месту, невозможно пройти мимо Кржижовницкой площади (площадь Крестоносцев), которая замечательна прежде всего тем, что на ней располагается Клементинум.

Он представляет собой один из крупнейших архитектурных комплексов Праги, состоящий из двухэтажных зданий, второй по величине после Пражского Града. Аналогично комплексу города, территория Клементинума разбита на дворы и представляет собой замкнутый ансамбль.

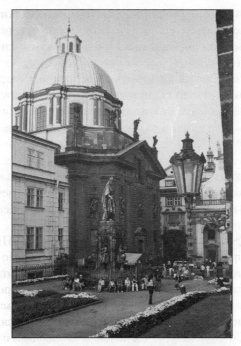

Кржижовницкая площадь с Клементинумом

Чтобы освободить пространство для строительства комплекса, пришлось снести 25 домов, а общая площадь всего комплекса составляет около 2 га.

История создания Клементинума такова. В 1227 г. на этом месте был монастырь доминиканцев при храме Св. Клемента. В период Гуситских войн здание, в котором жили монахи, было сильно повреждено и монастырь на долгие годы пришел в упадок.

В 1566 г. монастырь был приобретен обосновавшимся в Праге орденом иезуитов, целью которых было восстановление католицизма в Богемии. Первоначально монастырю принадлежал лишь костел Св. Клемента, по которому комплекс и был назван Клементинумом, однако в результате приобретения орденом близко расположенных зданий он стал быстро расширяться.

В 1593 г. на территории монастыря был основан костел Св. Сальватора.

Строительство костела продолжалось более 100 лет, и, хотя в его создании участвовали разные архитекторы — в частности, такие знаменитые мастера, как Франческо Каратти (1620—1677), Ансельмо Мартино Лураго, Франтишек Максимилиан Канька, Килиан Игнац Динценгофер, — он представляет собой один из самых красивых и гармоничных сооружений эпохи барокко.

Скульптуры, украшающие храм внутри и снаружи, изготовлены мастером Яном Йиржи Бендлом. Костел представляет собой почти образцовый тип иезуитского храма — он состоит из трех нефов, в центре его находится поперечный неф и купол. Башенки и портик, украшающие костел Св. Сальватора, являются типичными элементами римских иезуитских храмов.

Внутри костела наибольшее внимание привлекает великолепная фреска «Четыре части света», а также

Костел Св. Сальватора

главный алтарь, выполненный в стиле рококо, который украшен картиной «Преображение Христа» — копией с работы Рафаэля. В крипте (подземной часовне) костела, который, кстати, по сей день является действующим, находятся могилы членов ордена иезуитов.

Капелла Вознесения Девы Марии, или, как ее иначе называют, Итальянская часовня, была возведена в 1590—1597 гг. по проекту итальянских архитекторов Оттавио Массарино и Доменико Босси.

Строительство капеллы вели члены итальянской общины Праги, так как она предназначалась именно для собраний итальянцев. Эта капелла по сей день находится в собственности Италии и часто используется как помещение для выставок итальянского искусства. Главной отличительной чертой капеллы является ее овальная форма.

Основным архитектурным стилем Клементинума, несмотря на многочисленные реконструкции, остался барокко, причем здесь представлены различные стадии развития этого стиля, от ранней до поздней. В строительстве монастырских зданий принимали участие архитекторы Павел Игнац Байер (1656—1733), Джиованни Доминико Орси де Орсини (1633—1679) и др., а в украшении интерьеров и фасадов зданий — художники и скульпторы Фердинанд Максимилиан Брокоф (1652—1718), Матиаш Бернард Браун и др.

В 1653 г. началось строительство монастыря иезуитов — самого большого здания Клементинума. Первым было возведено западное крыло, расположенное по левую сторону от костела Св. Сальватора. Наружную часть этого крыла, которая выходит на Кржижовницкую улицу, по инициативе руководства ордена украсили бюстами императоров в знак почтения к светской власти. Остальные крылья костела были достроены в начале XVIII в. архитектором Франтишеком Максимилианом Канькой. Строительство иезуитской гимназии, зданий культового и хозяйственного назначения продолжалось вплоть до ликвидации ордена иезуитов.

Фасады зданий комплекса по Платнершской улице украшены пластическими изображениями Спасителя и чешских святых. На фасадах, обращенных на Марианскую площадь, изображены бюсты видных деятелей ордена иезуитов.

В 1715 г. старый костел Св. Клемента был снесен, а на его месте возведен новый одноименный барочный храм, который в настоящее время принадлежит греко-католической церкви. Автором проекта нового костела был Франтишек Максимилиан Канька, а руководил строительством архитектор Ансельмо Мартино Лураго. Храм представляет собой просторное однонефное здание, в котором наиболее интересным является скульптурное оформление интерьера.

В 1720-х гг. были построены Зеркальная капелла и Астрономическая башня. Интерьеры Зеркальной капеллы, возведенной в 1724 г. Франтишеком Максимилианом Канькой, оформлены зеркалами, закрепленными в декоративной облицовке стен. Интересна прекрасная роспись потолка капеллы. Ныне здесь находятся выставочный и концертный залы.

Астрономическая башня в настоящее время используется для проведения метеорологических и астрономических исследований, а в период с 1891 по 1918 г. на этой башне ровно в полдень вывешивался черно-белый флаг, который давал сигнал для выстрела пушки на Марианской крепостной стене. Этот выстрел служил сигналом точного времени в Праге. Среди хорошо сохранившихся интерьеров комплекса наибольшее внимание привлекают бывшие капеллы Св. Яна Непомуцкого и Св. Элигия, летняя монастырская трапезная, Математический и Музыкальный залы.

Большая часть бывших служебных помещений монастыря не отличается пышностью, что соответствует иезуитским правилам аскетизма, однако интерьеры коридоров, капелл, аудиторий и других помещений, где бывали посетители, украшены богатыми росписью, лепкой и другими видами прикладного искусства. Такая двойственная позиция руководства монастыря объяснялась тем, что жизнь монахов должна быть достаточно скромной, а миряне должны восхищаться и преклоняться перед красотой христианской церкви.

Обитатели монастыря не ограничивались только религиозными интересами, их деятельность охватывала многие стороны светской жизни города. Иезуиты открыли в Клементинуме школу, театр и типографию. Типография монастыря, которая начала работу в середине XVI в., на протяжении 200 лет оставалась крупнейшей в Чехии. После 1622 г. иезуиты стали контролировать Пражский университет, бывший ранее оплотом протестантов.

В 1773 г. орден иезуитов был распущен, а Клементинум перешел в ведение Карлова университета и Архиепископской семинарии. Помещения университета стали использоваться в учебных целях, для чего была проведена реконструкция в раннеклассическом стиле их фасадов и интерьеров.

В первом дворе Клементинума в 1847 г. была установлена скульптура — памятник пражским студентам, которые активно участвовали в обороне города от шведов в 1648 г. В 1848 г., во время революционных выступлений в Праге, именно Клементинум стал центром восстания студентов и рабочих, так как был хорошо укреплен. В 1924 г. было решено разместить в Клементинуме Государственную библиотеку Чешской Республики и Государственную техническую библиотеку. Некоторые здания комплекса были перестроены соответственно с их новым назначением.

В настоящее время в одном из зданий комплекса, бывшем иезуитском театре, размещается коллекция Национальной библиотеки, основой которой стали библиотека монастыря иезуитов и других монастырей, закрытых в период правления императора Иосифа II.

Наиболее примечательными в собрании Национальной библиотеки являются древние рукописи, среди которых есть такие раритеты, как «Вышеградский кодекс», относящийся к XI в., «Велиславова Библия» XIV в. и др.

Всего коллекция рукописей в Клементинуме насчитывает более 5 тыс. экземпляров.

В 1848 г. в честь 500-летия основания университета на Кржижовницкой площади был установлен памятник Карлу IV, выполненный в неоготическом стиле.

Каролинум

Если пройти по Железной улице от Староместской площади к площади Фруктовый рынок, можно выйти к одному из интереснейших дворцов Старе Места — Каролинуму. Каролинум — здание, принадлежащее одному из самых древних европейских университетов, основанному императором Карлом IV в 1348 г. Согласно источникам, датой образования университета можно считать 7 апреля 1348 г., когда император велел «заложить общество студентов и учеников в Праге и организовать теологический факультет». Собственное помещение университет получил в 1383 г., когда сын Карла IV, Вацлав IV, купил дворец и передал его в ведение университетских властей.

Вацлав IV, желая повысить статус университета в Европе, постановил отдать руководство в руки немецких

Каролинум. Здания Пражского университета

профессоров и большую часть занятий вести на немецком языке. Когда ректором университета стал Ян Гус, он добился, чтобы соотношение изменилось в пользу чешских преподавателей, в результате чего большая часть немецких профессоров и студентов покинула университет.

После битвы у Белой Горы Карлов университет перешел в руки ордена иезуитов и в 1654 г. был переименован в Карло-Фердинандов. С XVII в. в Каролинуме располагались медицинский и юридический факультеты университета, а ныне в нем размещается университетская администрация. Факультеты теперь располагаются в других зданиях Старе Места. В 1773 г., после роспуска ордена иезуитов, университет перешел в ведение государства. В 1882 г. университет разделили на Чешский и Немецкий, причем комплекс зданий тоже подвергся разделу — чешский стал называться Карловым, а немецкий — Каролинумом. В 1920 г. новым законом оба названия были вновь присвоены чешскому университету. Немецкий университет просуществовал до 1945 г.

Готическое здание Каролинума неоднократно перестраивалось. В начале XVIII в. комплекс был расширен, перестроен архитектором Франтишеком Максимилианом Канькой и приобрел барочный облик. После разделения университета на чешский и немецкий перестройкой руководил Йозеф Моккер (1835—1899). Нынешний вид Каролинума — результат реконструкции, начатой еще в 1945 г. архитектором Ярославом Фрагнером (1898—1967).

От старого готического здания остался лишь один эркер, выходящий на Фруктовый рынок, который был сделан в мастерских Петра Парлержа.

На Фруктовом рынке напротив Каролинума находится Сословный театр — одно из самых красивых театральных зданий в Европе.

В настоящее время здание театра представляет собой один из немногих прекрасно сохранившихся образцов классической архитектуры. Четкий прямоугольный план театра несколько смягчает выступающая вперед часть фасада, украшенная тимпаном. Все фасады здания строго

Сословный театр

симметричны, а плоский декор, несмотря на простоту, прекрасно вписывается в общую композицию.

До начала XVIII в. в Праге не было ни одного театрального здания. Представления иногда давали в Клементинуме, иногда — в частных домах аристократов. Первый городской театр открылся в Котцах, в Старе Месте, но просуществовал лишь до 1783 г.

В том же году в Праге был построен первый настоящий театр. Руководил строительством придворный архитектор Антонин Хаффенекер (1720—1789).

Первоначально театр именовался Ноститцким, позже он перешел к чешским сословиям и получил название Сословный. Сначала в театре ставили пьесы только на итальянском и немецком языках, но через 2 года после открытия в нем стали давать представления и на чешском. Первым спектаклем, сыгранным по-чешски, стал перевод австрийской пьесы «Беглец от сыновней любви», премьера которого прошла 21 января 1785 г.

После этого спектакли на чешском языке стали регулярно включаться в репертуар театра. Несмотря на то что пьесы шли в самое неудобное время, они пользовались неизменным успехом у пражан. Через год руководство театра решило запретить спектакли на чешском языке. Чешские пьесы вновь вернулись на сцену театра только в 1820 г.

Сословный театр почти с самого своего открытия занял достойное место в театральной жизни Европы. В нем не раз проходили крупные премьеры. Так, например, в 1787 г. в нем прошла премьера написанной в Праге оперы Моцарта «Дон Жуан», которая по сей день остается одной из самых любимых в театре.

В 1834 г. со сцены Сословного театра в пьесе «Фидловачка», написанной драматургом и монахом Иосифом Каетаном Тылом (1808—1856), впервые прозвучала песня Франтишека Шкроупа «Где родина моя?», которая впоследствии стала гимном Чехии. Часто можно услышать историю, что песню «Где родина моя?» Франтишек Шкроуп написал за день до премьеры пьесы, сидя у постели своей смертельно больной жены. Эта сентиментальная легенда не соответствует истине. Жена Шкроупа действительно была больна и умерла, но случилось это через три года после выхода спектакля.

Пьеса «Фидловачка» была задумана Йозефом Тылом как музыкальная комедия в народном стиле, а песня «Где родина моя?», по его замыслу, должна была исполняться, как торжественный хорал. Тыл обратился к Шкроупу, который был автором первой чешской оперы, однако тот написал совсем другую мелодию — спокойную и трогательную.

Пьеса «Фидловачка» прошла в театре только несколько раз, после чего ее сняли с репертуара из-за низкой посещаемости. Со временем про нее забыли, а вновь она была обнаружена и издана спустя более тридцати лет, в 1877 г. Постепенно песня «Где родина моя?» становилась популярной, ее начали исполнять в домах горожан, известные пражские оперные певцы включили ее в свой репертуар.

Далеко не все пражские деятели культуры и искусства приняли песню. Ее критиковали, называли чрезмерно сентиментальной, слишком простой, однако во время

Первой мировой войны она стала настолько популярной, что после обретения Чехией независимости не возникло никаких сомнений, какая песня должна стать официальным гимном Чешской Республики.

Вифлеемская часовня

Для истории религиозного движения в Праге Вифлеемская часовня имеет очень большое значение. Она была построена в 1391 г. специально для проведения церковных служб на чешском языке.

Это здание непосредственно связано с зарождением и развитием гуситского движения в Чехии, и, кроме того, на протяжении многих лет она являлась главной трибуной реформаторов. В течение десяти лет в этой часовне проповедовал Ян Гус и его сподвижники, в 1521 г. с трибуны этой часовни читал проповеди видный немецкий реформатор Томас Мюнцер (1490—1525), и только спустя двести лет после основания Вифлеемская часовня попала под контроль католической церкви.

Вифлеемская часовня

Несмотря на очень большие для обычной часовни размеры (вместимость ее составляла несколько тысяч человек), она не получила статуса приходской церкви с постоянным штатом священников и долгое время оставалась независимой.

Орден иезуитов, получивший право на проведение богослужений в часовне, в 1773 г. был распущен, а часовня снесена. На ее месте построили жилой дом. В середине XX в., после того как этот дом был снесен, была начата реконструкция часовни, от которой сохранились три внешние стены, входной портал, портал, ведущий в дом проповедников, готический санктуарий, а также некоторые фрески и фрагменты трактатов Яна Гуса, которые были написаны на стенах.

Восстановление часовни по старым чертежам и рисункам было проведено архитектором Ярославом Фрагнером (1898—1967). В настоящее время часовня представляет собой просторное помещение, выдержанное в готическом стиле. Интерьер реконструированной Вифлеемской часовни поражает своей простотой и величественностью. Высокий деревянный потолок, украшенный резьбой, сочетается с деревянными же кафедрой, хорами и ораторией, по всему периметру помещения расположены готические стрельчатые окна разной величины, часть из которых восстановлена по сохранившимся в стенах проемам XIV в.

Основной акцент в оформлении часовни сделан на отсутствие каких-либо излишеств. В просторном зале нет ничего, кроме кафедры для проповедника и двух опорных столбов. Роспись стен восстанавливалась по сохранившимся частям фресок, а также по средневековым хроникам. В настоящий момент стены украшены не только рисунками, но и текстами песен с нотами и цитатами из проповедей.

Был отремонтирован и расположенный рядом с часовней дом, в котором когда-то жил Ян Гус, а также его преемники. В настоящее время в этом доме расположена небольшая выставка, посвященная истории гуситского движения. В подвале дома размещается лапидарий — место, где хранятся скульптуры и каменные исторические реликвии.

Кафедра в Вифлеемской часовне

В 1993 г. Вифлеемская часовня стала использоваться Пражским политехническим институтом в качестве актового зала для проведения торжеств; институт взял на себя и все расходы по содержанию здания. В часовне, признанной национальным памятником культуры, в настоящее время проводятся различные выставки и концерты, которые может посетить любой желающий.

Рудольфинум

Рудольфинум, иначе называемый Домом художников, представляет собой дворец, в котором находятся концертный зал и картинная галерея. Дворец располагается на Дворжаковской набережной.

Здание, построенное в 1876—1884 гг., получило свое название в честь наследника австрийского престола Рудольфа (1858—1889). Проект дворца был разработан известными архитекторами Йозефом Зитеком (1832—1909) и Йозефом Шульцем (1840—1917). Наряду с Националь-

Рудольфинум

ным театром и Художественным музеем Рудольфинум является прекрасным образцом неоренессансной архитектуры. Строительство дворца финансировалось Пражской страховой конторой, так как, помимо своей основной функции, оно было призвано служить еще одним символом чешского национального возрождения.

В архитектуре Рудольфинума в полной мере нашла воплощение идея соответствия формы функциональному назначению. Симметричная планировка позволяет максимально полно использовать пространство. Интерьер концертного зала с полукруглым амфитеатром, рассчитанного на 900 мест, представляет собой сочетание классического стиля и неоренессанса.

В период Первой Республики и в первые годы после окончания Второй мировой войны Рудольфинум играл важную роль в политической жизни Праги — в этом здании заседал парламент Чехословакии. Именно у Рудольфинума 22 сентября 1938 г. на митинг протеста собралось почти 100 тысяч человек, после того как главы английского и французского правительств решили отдать гитлеровской Германии Судетскую область Чехословакии.

Нове Место

Легенда об образовании Нове Места (Нового города) гласит, что Карл IV велел построить его, узнав о предсказании. Астролог предрек, что существовавшие в то время пражские районы Мала Страна и Старе Место будут уничтожены огнем и водой. Чтобы переломить судьбу, император решил основать еще один город, который к тому же увеличит мировую славу Праги.

И действительно, по указу Карла IV 3 марта 1348 г. началось строительство Нове Места, который расположился на территории между крепостью Вышеград и Старе Местом.

Чтобы стимулировать переселение людей из других пражских городов в Новый, Карл IV отменил здесь уплату налогов на двенадцать лет, однако приказал каждому переселенцу выстроить на выбранном участке дом в срок до восемнадцати месяцев. Чтобы оставшимся в Старе Месте горожанам не мешал шум, в Нове Место переселили представителей наиболее шумных профессий — кузнецов и жестянщиков.

Основой Нове Места стали три рыночные площади — Сенная, Конский и Скотный рынки. Рядом с ними и стали возводиться первые дома.

Вацлавская площадь

Так же, как и Староместская, Вацлавская площадь ежедневно привлекает тысячи туристов. Это место обладает своеобразным очарованием и не менее достойно внимания, чем главная площадь Старе Места. Кроме того, именно

Вацлавская площадь

Вацлавскую площадь местные жители считают центральной и главной в Праге.

Внешне эта площадь больше напоминает бульвар, так как имеет вытянутую форму. Длина ее около 750 м, а ширина — всего 60 м. В настоящее время на ней расположены престижные магазины и бутики, ночные бары, дорогие отели и дома моды. Современная Вацлавская площадь представляет собой торговый, культурный и общественный центр Праги.

С этой площадью связаны многие события, имевшие огромное влияние на историю Чешского государства. Все наиболее значимые даты новой и новейшей истории Чехии, начиная с 1848 г. и заканчивая 1989 г., оставили в этом месте свой след. Во время политических потрясений и перемен в жизни страны именно здесь проходили массовые митинги и демонстрации.

После массовых выступлений пражан в 1848 г. Вацлавская площадь стала символом национального духа города, который проявлялся и во время установления Чехословацкой Республики в 1918 г., в 1948 г., и при переходе государственной власти к коммунистам, и в другие моменты.

Последним знаменательным событием в истории площади стало выступление диссидента Вацлава Гавела во время бархатной революции 1989 г., когда он был избран президентом Чешской Республики.

Первоначально площадь, расположенная на пути к Нове Месту, использовалась для торговли лошадьми и называлась Конским рынком. Современное название было присвоено площади только в 1848 г., а конная статуя св. Вацлава и четырех небесных покровителей Чехии установлена только в 1913 г. В 1875 г. на площади началось строительство здания Национального музея, для чего пришлось снести ограничивавшую ее с юга городскую стену с Конскими воротами.

Национальный музей был основан чешскими патриотами еще в 1818 г. и является одним из старейших в Праге. Он вобрал в себя многие частные археологические, антропологические, минералогические, зоологические и другие коллекции.

Национальный музей

Значительное место в собрании музея занимает знаменитая библиотека, в которой хранятся редкие средневековые рукописи.

Новое здание музея, выстроенное в 1885—1890 гг. под руководством архитектора Йозефа Шульца, представляет собой монументальное сооружение в неоренессансном стиле. Интерьеры музея отличаются необыкновенной пышностью и роскошью отделки, большая часть которой выполнена из мрамора.

Напротив Национального музея расположен особняк «Коруна», получивший свое название от короны, находящейся на его крыше. На архитектуру особняка непосредственное влияние оказал всплеск интереса к археологии, случившийся на рубеже XIX—XX вв. после раскопок в Месопотамии. Благодаря этому дом «Коруна» иногда в шутку называют вавилонским.

На Вацлавской площади находится «Европа», один из лучших отелей Праги, построенный в 1889 г. Первоначально он назывался «У Герцога Штефана». В 1903—

Особняк «Коруна»

117

1906 гг. он был перестроен в стиле ар нуво[3]. В архитектуре отеля нашли отражение чешские традиции этого стиля, причем он считается одним из лучших примеров пражского ар нуво.

Роскошные и изысканные интерьеры отеля, в том числе расположенные в нем кафе «Европа» и ресторан «Титаник», стали известны всему миру после того, как вышел голливудский фильм «Миссия невыполнима» с Томом Крузом.

Дом Петерка — № 12 по Вацлавской площади — яркий образчик рационального направления стиля модерн. Строительством этого дома руководил основатель современной чешской архитектуры Ян Котера (1871—1923).

В глубине площади расположен музей Альфонса Мухи — выдающегося и необычного художника, творившего на рубеже XIX—XX вв. Большую часть жизни Альфонс Муха провел в Париже, где и завоевал мировую славу своими оригинальными плакатами и афишами. Именно Муху считают основоположником стиля ар нуво.

Нижние этажи большинства зданий, окружающих площадь, в настоящее время занимают рестораны и магазины, однако, в отличие от небольших уютных лавочек и кафе на Староместской площади, они более современные и шумные. Вацлавская площадь необычайно оживлена в любое время суток. Днем здесь прогуливаются толпы туристов и местных жителей, а ночью открываются бары и рестораны, в которых до утра кипит жизнь.

---

[3] *Ар нуво* (от фр. «новое искусство») — то же самое, что модерн, то есть художественное направление в искусстве, бывшее популярным во второй половине XIX — начале XX в.; его отличительными особенностями являются: отказ от прямых линий и углов в пользу более естественных, «природных» линий, интерес к новым технологиям (в особенности в архитектуре); модерн стремился сочетать художественные и утилитарные функции создаваемых произведений, вовлечь в сферу прекрасного все сферы деятельности человека.

Улица На Пршикопе и Национальный театр

От Вацлавской площади отходит пешеходная улица На Пршикопе (На Рву), застроенная красивыми старинными зданиями. По этой улице можно пройти к одной из популярнейших достопримечательностей Нове Места — Национальному театру. На Пршикопе представляет собой одну из самых оживленных торговых улиц Праги. Несколько столетий назад на этом месте располагался ров (пршикоп), который отделял Старый город от Нового. Позднее улица стала излюбленным местом пражан, особенно немецкой части населения. Жители прогуливались здесь или проводили время в местных кафе. В настоящее время тех старых кафе здесь больше нет, они были снесены еще во времена Первой Республики в разгар строительного бума. Теперь На Пршикопе славится магазинами модной и в то же время не слишком дорогой одежды.

В доме № 4 по этой улице в 1872 г. был открыт первый пражский универмаг «Хаас». Здание для этого универма-

В начале улицы На Пршикопе

га было спроектировано знаменитым австрийским архитектором бароном Теофилом фон Хансеном (1813—1891), причем в оформлении относительно небольшого магазина использованы колонны с коринфскими капителями и статуи, придающие ему величественный вид. В настоящее время помещения дома № 4 занимает магазин модной одежды «Бенеттон».

Дом № 10 — изящный небольшой дворец Сильва-Тарукки, выполненный в стиле барокко. Строительство дворца было начато знаменитым пражским зодчим Килианом Игнацием Динценгофером, а после его смерти возведение здания заканчивал Ансельмо Мартино Лураго. Крышу дворца украшают скульптуры мастерской Платцера. В настоящее время во дворце располагается «Макдоналдс», казино и ресторан «Касабланка», в котором подают кошерную пищу.

Дом № 22, иначе называемый Славянским, — один из самых старых на улице. Он был выстроен в 1700 г. и первоначально принадлежал графу Жану Вернье де Ружмону (1666—1724). В начале XIX в. здание было перестроено и приобрело свой нынешний облик. В 1873 г. в доме № 22 открылись ресторан и казино, которые посещали исключительно немцы, благодаря чему здание стало именоваться Немецким домом. Посетителей-чехов в Немецком доме принципиально не обслуживали.

В годы оккупации Праги нацистской Германией Немецкий дом стал излюбленным местом сборищ военных-немцев. По окончании Второй мировой войны чешское правительство конфисковало Немецкий дом и в знак протеста против ущемления прав коренного населения Праги переименовало его в Славянский. В настоящее время в доме находится множество экзотических магазинов, кинотеатр и ресторан.

Продолжением улицы На Пршикопе является Народный проспект, выходящий к Национальному театру — одному из самых ярких символов чешского Возрождения. История создания этого театра очень интересна и драматична.

Национальный театр. Вид со стороны Влтавы

В конце XVIII в., когда в Чехии наметился подъем национально-патриотического движения и появилась целая плеяда чешских деятелей культуры, ратовавших за возрождение национального самосознания, возникла необходимость создать по-настоящему народный театр, воплощающий именно чешские традиции.

К середине XIX в. необходимость создания театра была признана властями города, и в 1849 г. городская администрация приняла решение о строительстве. Однако воплощение проекта началось гораздо позже — только в 1868 г. Причиной такой задержки стал отказ австрийских властей финансировать строительство. К 1868 г. пражанам с помощью подписки удалось собрать средства. Сбор денег проходил под девизом «Нация — себе».

Автором проекта театра был выдающийся чешский архитектор того времени Йозеф Зитек. В 1883 г. театр был открыт, что вызвало ликование патриотов по всей Чехии, однако всего через несколько недель после открытия, ко всеобщему разочарованию, театр полностью сгорел. Сразу же был начат новый сбор средств — и вновь удалось собрать с населения Чехии необходимую сумму. Спустя два года театр отстроили заново под руководством Йозефа Шульца, автора проекта здания Национального музея. В таком виде он сохранился до наших дней.

Фасад театра венчает лоджия, над которой располагается аттик — увеличенный фрагмент карниза — со статуями Аполлона и муз. По краям фасада располагаются изображения Победы на колеснице, отлитые из бронзы. Над зданием возвышается огромный голубой купол со звездами.

Интерьер зрительного зала оформлен с невероятной пышностью. Балконы в театре расположены в три яруса, а центральное место занимает роскошно украшенная королевская ложа. В оформлении зала участвовали лучшие чешские художники, в частности Войтех Гинайс (1854—1925), изобразивший на занавесе народный сбор средств на строительство театра.

В 1970—1980-х гг. театр тщательно отреставрировали; под руководством архитектора Карела Прагера (1923—2001) был выстроен новый зрительный зал (Новая Сцена), в оформлении которого широко использовано стекло. В ноябре 1983 г., по окончании реставрации, в Национальном театре прошла та же самая опера Сметаны «Либуше», что и сто лет назад, в день открытия театра.

Площадь Юнгмана

Если с Вацлавской площади идти через Францисканский сад, можно попасть на площадь Юнгмана, названную в честь ученого и публициста Йозефа Юнгмана (1777—1847), деятеля чешского Возрождения. Небольшая по размеру, эта площадь заслуживает особого внимания — ведь на ней находятся очень интересные здания, построенные в начале XX в. и представляющие различные стили, популярные в то время.

Первым привлекает внимание большой дом в красно-белых тонах, обильно декорированный камен-

Йозеф Юнгман

0

Площадь Юнгмана

ными скульптурами. Это дворец Адрия, построенный в 1925 г. архитектором Павлом Янаком (1881—1956). Необычный облик дворца обусловлен стилем, в котором он выполнен — рондо-кубизмом[4], который был изобретен чешскими архитекторами в 1920-х гг. Отличительные черты этого стиля — большое количество лепных украшений и сглаженные углы. Наверху здания находится скульптурная группа под названием «Мореходство». Ее автором является Ян Штурса (1880—1925), а статуи на фасаде выполнены Отто Гутфройндом (1889—1927).

Дворец первоначально занимала итальянская страховая компания, по заказу которой его и построили. После войны фирму обвинили в шпионаже в пользу нацистской Германии и здание конфисковали. После этого во дворце разместились офисы разных фирм, театр «Laterna Magika» и ресторан. В гримерных театра в конце 1980-х гг. проводились тайные собрания антикоммунистического «Гражданского форума». В настоящее время «Laterna

[4] Слово «рондо» переводится с французского как «дуга», то есть стиль называется дуговой кубизм, или, как чехи еще его называют, «национальный декоративизм».

Дворец Адрия

Magika» переехала в Национальный театр, а в здании теперь находится другой театр — «Bez zabradi».

Напротив яркого, роскошно украшенного дворца Адрия находится простое белое здание в конструктивистском стиле, единственным украшением которого являются квадратные часы. Этот дом был выстроен в 1931 г. архитектором Миланом Бабушкой (1884—1953) по заказу коммерсанта Амшельберга, торговавшего тканями. Долгое время в нем располагался универмаг «Ара», а в настоящее время его помещения занимает банк.

На площади находится еще один интересный дом в стиле рондо-кубизма. Этот дом № 4 поражает прежде всего своей формой — он очень узкий, шириной в одно окно, что выделяет его среди всех остальных зданий. Построен дом был в 1922 г. и является одним из самых ярких примеров рондо-кубизма в мире.

Кубизм на площади представлен не только зданиями — здесь находится и единственный в своем роде кубистский уличный фонарь, который спроектировали и установили в 1912 г. Матей Блеха (1861—1918) и Эмиль Крайчек (1877—1930).

124

На отходящей от площади Юнгмана улице Юнгмановой находится еще одно интересное здание — Моцартеум, выполненный по проекту Яна Котеры (1871—1923) в 1913 г. Первоначально здесь располагался один из самых престижных концертных залов, затем по очереди несколько разных театров и музыкальный магазин.

Костел
Девы Марии Снежной

На границе Старе и Нове Места находится известный храм Девы Марии Снежной, построенный еще во времена Карла IV, в первой половине XIV в. По замыслу императора, костел должен был стать вторым по величине после собора Св. Вита, однако замысел не удался. История этого костела весьма драматична — он так никогда и не был полностью достроен и, кроме того, постоянно подвергался разрушениям как от времени, так и от многочисленных войн.

Костел Девы Марии Снежной

Вместо задуманного грандиозного сооружения была отстроена только небольшая часть костела — пресвитерий и две боковые часовни.

До Гуситских войн на северной стороне костела находилась высокая величественная башня, украшенная тимпаном с изящной рельефной резьбой. С юга тоже должна была располагаться башня, однако она не была достроена. Размеры костела были точно определены при раскопках, проведенных вокруг него. Были обнаружены остатки окон, свидетельствующие о том, что здание первоначально доходило до места, где ныне расположена площадь Юнгмана. Костел, принадлежавший монастырю кармелитов[5], в период Гуситских войн стал штабом наиболее радикального крыла гуситов во главе с Яном Желивским, которые захватили власть в Нове Месте. После сражений, закончившихся победой дворян, была снесена северная башня, с которой во время войны велись обстрелы Старе Места.

В 1483 г. костел снова пострадал — были испорчены и уничтожены многие элементы декора храма. После этого костел долгое время был заброшен, пока в XVI в. не рухнули его своды и фасад. В начале XVII в. полуразрушенный храм был передан ордену францисканцев[6], которые и начали его восстановление. В настоящее время двухэтажное здание монастыря францисканцев, построенное в XVII в., располагается рядом с костелом, а рядом с комплексом — красивый Францисканский сад.

Храм восстановили почти в первоначальном виде, и теперь он, несмотря на то, что его высота стала меньше

---

[5] Кармелиты — католический монашеский орден с очень строгим уставом: члены ордена должны были жить в отдельных кельях, вообще не есть мяса, постоянно молиться или заниматься рукоделием, некоторое время проводить в совершенном молчании. Считалось, что кармелиты находятся под особым покровительством Пресвятой Девы Марии, почему их еще называют братией Пресвятой Девы.

[6] Францисканцы — католический монашеский орден; св. Франциск основал три ордена: мужской — орден меньших братьев, женский — орден кларисс, третий — францисканский орден мирян.

на 4 м, чем при создании, все равно является одним из самых высоких в Праге.

Перед входом в храм находятся статуи святых Яна Непомуцкого и Петра Алкантарского[7] работы Яна Олдриха Майера (1666—1721), установленные в 1715 г. Северную часть монастырского двора занимает часовня Яна Непомуцкого, а над ней находится монастырская библиотека.

В интерьере костела имеется несколько интересных деталей — прежде всего это главный алтарь, выполненный в стиле раннего барокко и являющий самым большим в Праге, и десять статуй францисканских святых, расположенные вдоль стен. В левой части храма расположена часовня Св. Антония, построенная в XVIII в. С южной стороны к костелу пристроена часовня Св. Михаила.

Монастырь на Словенах

Расположенный на Вышеградской улице монастырь на Словенах, или Эмаузы, — один из старейших в Праге. В наши дни он нередко незаслуженно остается в стороне от наиболее популярных туристических маршрутов, несмотря на то, что является национальным памятником культуры. Хотя этот монастырь и не так знаменит, как многие другие пражские архитектурные комплексы, тем не менее в нем есть чем полюбоваться. Особенно интересны написанные на восемьдесят сюжетов из Библии фрески, в настоящее время отреставрированные.

Строительство бенедиктинского монастыря явилось очередным этапом воплощения плана императора Карла IV по созданию в Нове Месте системы храмов и монастырей, которые будут располагаться в форме креста, если взглянуть на них сверху. Кроме того, основание этого монастыря нужно было для того, чтобы объединить в одном месте бенедиктинцев, проводивших богослужения на старославянском языке.

---

[7] Петр Алкантарский (? —1562) — испанский монах-мистик и учитель веры; канонизирован католической церковью.

Эмаусский монастырь на Словенах

Первоначально монастырь возник при небольшом костеле Свв. Козьмы и Дамиана, построенном в XII в. Строительство нового большого монастырского комплекса началось в 1347 г. и было закончено относительно быстро — уже в 1372 г.

Вскоре монастырь стал известен как крупный культурный центр, в рукописной мастерской которого изготавливали книги с миниатюрами прекрасной работы. Также монастырь славился своей школой.

В период Гуситских войн настоятель спас монастырь от разрушения, введя в нем причастие для мирян и вином и хлебом, в то время как многие другие монастыри, не проявившие такой гибкости, были сожжены и разграблены.

В 1636 г. монастырь перешел к испанским бенедиктинцам, славянские члены ордена переехали в коллегию премонстрантов[8] и костел Св. Микулаша, расположенный

---

[8] *Премонстранты*, они же норбертины или белые каноники, — католический духовный орден. Премонстранты носили белую сутану и белый нарамник.

на Староместской площади. При испанцах монастырь был перестроен в барочном стиле.

После этого в XIX в. монастырь на Словенах перешел к немецким монахам, приглашенным в Прагу архиепископом Бедрихом Шварценбергом (1800—1870). Они провели реконструкцию монастырских помещений в неоготическом стиле. В 1918 г., после революции, немцев из монастыря выдворили чехи, однако через два года те вновь вернулись и заняли монастырь.

В 1939 г., во время оккупации, монастырь на Словенах снова попал в руки к немцам, правда, использовался уже не в религиозных целях, а в качестве госпиталя для солдат. Во время войны монастырский комплекс и костел сильно пострадали от бомбежки американских самолетов, которые по ошибке вместо Дрездена прилетели бомбить Прагу. У костела была разрушена крыша и снесены башни.

После войны на несколько лет монастырь вновь заняли монахи, однако после перехода государственной власти к коммунистам их оттуда изгнали. Костел восстановили, вместо разрушенных при бомбежках башен в 1967 г. поставили две временные асимметричные башни, напоминающие хвост ласточки, которые так и остались, а со временем стали визитной карточкой костела.

До 1989 г. монастырь не использовался по назначению. После бархатной революции он был возвращен церкви и постепенно восстановлен. Трехнефная церковь Девы Марии и славянских покровителей в настоящее время используется как выставочный зал.

Карлова площадь и ее окрестности

В южной части Нове Места расположена Карлова площадь, одна из самых старых в этом районе и одна из самых больших в городе. В Средние века здесь находился рынок, называемый Скотным. Располагался этот рынок на древней дороге, ведущей от Пражского Града к Вышеграду. О тор-

Карлова площадь

говом прошлом Карловой площади говорят названия прилегающих к ней улиц — Житная и Ячменная.

Основной достопримечательностью площади является Новоместская ратуша, которая появилась всего на несколько десятилетий позже знаменитой Староместской.

Вскоре после основания Карлом IV Нове Места в нем было решено построить ратушу по образцу Староместской. Строительство началось в 1348 г. и вплоть до объединения всех пражских городов в один именно из этой ратуши осуществлялось управление Нове Местом.

С этой ратушей, как и со Староместской, связаны многие важные события пражской истории.

В 1419 г. здесь произошел вооруженный конфликт между гуситами и сторонниками католической церкви. Гуситы, руководимые Яном Желивским и Яном Жижкой, подошли к ратуше и, после того как оттуда был брошен камень, ворвались внутрь и выбросили из окон членов магистрата. Позднее у главного портала ратуши был установлен памятник Яну Желивскому как напоминание о первой пражской дефенестрации.

В 1609 г. Новоместская ратуша стала местом проведения собрания, целью которого было принуждение императора Рудольфа II подписать указ о свободе вероисповедания.

В конце XVIII в. в связи с тем, что пражские города были объединены в один, самоуправление Нове Места было упразднено, и ратуша стала выполнять другие функции.

В начале XIX в. здание было перестроено и в нем стали размещаться суд и тюрьма. Бывшую ратушу стали называть пражской Бастилией, а с начала XX в. появилось другое неофициальное название — «Народный дом на Карлаке».

После революции 1848 г. в бывшей ратуше содержали арестованных участников пражского восстания, а в XX в. — политических заключенных.

Внешне ратуша представляет собой комплекс, состоящий из нескольких зданий, построенных в разное время. Самым старинным является восточное крыло ратуши, выходящее на Водичкову улицу — оно построено в 1377 г. Южное крыло появилось позднее — в 1411—1416 гг.

В 1520—1526 гг. южное крыло подверглось перестройке в стиле ренессанс, которая велась под руководством архитектора Бенедикта Рейта. При перестройке были созданы фронтоны в позднеготическом стиле.

Восточное крыло в 1559 г. также было перестроено в ренессансном стиле. Руководил обновлением Бонифац Вольмут (1510—1579), тот самый, который построил хоры в соборе Св. Вита. От первоначального варианта крыла сохранился готический двухнефный зал и некоторые элементы в других помещениях.

После того как ратушу приспособили под судебное здание, она в 1806 г. пережила еще одну перестройку. Современный вид здания ратуши приобрели в 1905 г. после реконструкции, проведенной под руководством архитекторов Камила Гилберта (1869—1933) и Антонина Виегла (1846—1910).

Новоместской ратуше вернули тот вид, какой был в середине XVI в., после ренессансных реконструкций. В ходе восстановления первоначального облика было открыто несколько интересных деталей интерьера — так, в помещении рядом с готическим залом обнаружили расписанный в XVI в. потолок.

Элементом ратуши, наиболее привлекающим внимание, в настоящее время является главное крыло, выходящее на Карлову площадь. Трехэтажное здание этого крыла венчает двускатная крыша с высоким торцевым фронтоном. На первом этаже крыла располагается готический зал с двумя круглыми опорами и выполненными в готическом стиле входными порталами. В настоящее время это помещение является залом бракосочетаний.

Второй этаж занимает зал в стиле раннего Ренессанса с перекрытием на деревянных опорах и порталом, выполненным в том же стиле. Кроме того, в этом крыле находится и просторный Коншельский зал с сохранившимися со времен Рудольфа II фрагментами росписей на стенах.

Новоместская ратуша

Помимо главного крыла стоит обратить внимание на готическую башню, расположенную в углу площади. Башня была построена во второй половине XIV в. В 1520—1526 гг. были сделаны ренессансные окна, а в первой четверти XVII в. к ней была пристроена галерея и сооружена кровля. Герб Нове Места появился в середине XVII в. На углу башни можно увидеть эталон старинной меры длины — чешский локоть (59,27 см) и остаток цепи, использовавшейся для перекрытия улиц.

Внутри башни находится часовня Девы Марии и Св. Вацлава, которая первоначально была готической, а в XVIII в. ее переделали в стиле барокко. Доминантами интерьера часовни являются образы Девы Марии и св. Бенедикта, а также деревянные скульптуры святых. На потолке можно увидеть оригинальную роспись, основными мотивами которой являются аллегории Права и Справедливости.

В настоящее время можно посетить некоторые помещения башни, однако они открыты только в туристический сезон — с мая по сентябрь.

Комплекс Новоместской ратуши в последний раз перестраивался в период с 1976 по 1996 г. В результате ратуша была приспособлена под нужды районного управления Праги-2. Руководил реконструкцией современный архитектор, академик Вацлав Гирса. В настоящее время комплекс представляет собой четыре крыла и башню, окруженные двором трапециевидной формы, который также был обновлен — его покрытие восстановили в первоначальном виде.

Почти в центре Карловой площади, на углу Йечной улицы, находится еще одно интересное здание — раннебарочный костел Св. Игнатия Лойолы, построенный в 1670 г. архитектором Ансельмом Мартино Лураго для ордена иезуитов. Фасад костела украшает скульптура его святого покровителя, окруженная золотым ореолом. Из-за этого ореола когда-то разгорались ожесточенные споры между иезуитами и остальными католиками, которые утверждали, что золотого ореола могут удостаиваться только изображения Христа и Девы Марии. Спор разрешили в Ватикане, постановив, что ореол можно оставить. Помимо статуи Игнатия Лойолы храм украшают и другие скульптуры, сделанные в мастерских Игнаца Франтишека Платцера и Яна Йиржи Бендла.

На южной стороне Карловой площади располагается дом легендарного доктора-чернокнижника Иоганна Фауста (ок. 1480—1540), который, как говорят, в 1540 г. жил в Праге. После дом занимали не менее загадочные личности — в 1590 г. его приобрел Эдвард Келли (1555—1597), английский алхимик, а в 1724 г. в нем проживал занимающийся алхимией и математикой рыцарь Фердинанд Антонин Младота из Солописка (1652—1726). Сын Фердинанда устраивал показы различных механических фигур, пугая гостей.

Рядом с домом Фауста находятся ворота, ведущие в садик костела Св. Яна Непомуцкого на Скальце. Сам костел обращен фасадом к Вышеградской улице. Архитектором этого барочного здания является знаменитый Килиан Игнац Динценгофер, а постройка его датируется

Дом Фауста

1738 г. В костеле находится одна из замечательных работ Фердинанда Максимилиана Брокофа — деревянная скульптура Яна Непомуцкого.

По другую сторону Карловой площади находится принадлежащий Православной церкви храм Св. Кирилла и Мефодия. Автором проекта этого храма также является Килиан Игнац Динценгофер, причем первоначально здание предназначалось для проживания отошедших от дел священников. В 1934 г. после реконструкции храм передали Православной церкви Чехии.

В 1942 г. в крипте храма некоторое время скрывались семеро парашютистов, совершивших покушение на немецкого протектора в Чехословакии Рейнхарда Гейдриха. Когда парашютистов обнаружили, они все покончили с собой прямо в крипте. Сейчас в этом помещении находится музей.

На север от Карловой площади к Народному проспекту идет улица Спалена, названная так после того, как на ней в 1506 г. случился большой пожар, уничтоживший почти все дома.

Дом № 16 по Спаленой улице называется «Олимпик» и представляет собой один из первых образцов конструктивистского направления в архитектуре. Дом был выстроен в 1927 г. архитектором Яромиром Крейцаром (1895—1950).

На пересечении улиц Спаленой и Лазарской стоит построенный в 1913 г. кубистский дом «Диамант», автором проекта которого был архитектор Эмиль Крайчик. Это здание — один из самых оригинальных примеров кубизма в Праге. Название оно получило благодаря тому, что внутри здания находится висящий на цепях светильник в виде огромного черного бриллианта.

Старинная Штепанска улица, ведущая от Карловой площади к Вацлавской, получила свое название от костела Св. Стефана, построенного в XIV в. В костеле венчались со своими женами два всемирно известных чешских композитора — Антонин Дворжак (1841—1904) и Бедржих Сметана (1824—1884). В костеле практически полностью сохранилась готическая планировка, часть настенных росписей XIV в., а также построенный в 1612 г. ренессансный органный зал. В непосредственной близости от костела можно увидеть романскую ротонду Св. Лонгина, относящуюся к XII в. Параллельно Штепанской идет Водичкова улица, названная так по имени владельца самого большого дома, стоявшего там в XV в., — мясника Яна Водички. В 1902 г. на этом месте был выстроен дом № 30 «У Новаку», возведенный в стиле ар нуво.

В начале века в доме № 30 располагался буфет, первый в городе, а перед самой Второй мировой войной открылся театр оперетты. В настоящее время здесь работает варьете.

На углу Войтешской и Шитковой улиц, там, где в раннем Средневековье было кладбище, находится костел Св. Войтеха, первые упоминания о котором относятся к 1318 г. Во время реконструкции в 1875 г. в храме была обнаружена позднеготическая настенная роспись, которую сразу же варварски закрасили и во второй раз обнаружили в 1930 г. В костеле находится орган, который установили здесь специально для композитора Антонина Дворжака.

Набережная Масарика

На набережной Масарика находится огромное количество архитектурных шедевров и просто очень интересных зданий. Особенно много примечательных строений собрано в квартале между площадью Ирасека и Национальным театром. Здесь можно увидеть дома в стилях модерн, необарокко, а также строения, сочетающие в себе элементы готики и модерна, причем это разнообразие не создает диссонанса, а наоборот, оставляет впечатление целостности.

Напротив Славянского острова на набережной стоит одно из самых известных зданий эпохи модерна — здание пражского «Глагола», построенное архитектором Йозефом Фантой (1856—1954) в 1903—1905 гг.

Танцующий дом

Чуть дальше на набережной находится здание Института Гёте, построенное в 1905 г. архитектором Йиржи Стибралом (1859—1939) в стиле модерн. Здание декорировано лепными украшениями, автором которых является знаменитый скульптор Ладислав Шалоун.

На углу Рессловой улицы и набережной стоит интересное здание, которое официально называется Танцующим домом, а в народе его именуют стаканом. История этого дома, как и монастыря на Словенах, связана с ошибочным налетом американских бомбардировщиков в 1945 г. Бомба попала в стоявшее на месте нынешнего Танцующего дома здание и полностью разрушила его. На протяжении пятидесяти лет это место оставалось пустым, пока Вацлав Гавел не принял решение построить на нем новое здание. Интерес президента к этому месту вполне

Манес

понятен — соседний дом до национализации принадлежал его семье.

Президент решил поручить строительство здания хорватскому архитектору Владо Милуновичу (р. 1941), однако владевшая землей страховая компания поставила условие: автором проекта должен стать американский архитектор. В итоге здание строили вместе Владо Милунович и Фрэнк Гери (р. 1929). Форма здания напоминает танцующую пару, в память о великих американских танцорах Фреде Асторе (1899—1987) и Джинджер Роджерс (1911—1995). В настоящее время в здании размещается кафе, а на верхнем этаже — французский ресторан.

Напротив Славянского острова, на набережной Масарика, находится необычное здание — Манес, которое было построено для одноименного художественного общества архитектором Отакаром Новотным (1880—1959) в 1930 г. Здание состоит из двух частей — готической водонапорной башни конца XV в. и конструктивистского комплекса. В Манесе в настоящее время проводятся выставки художников.

Костел и монастырь
Святой Урсулы

Легенда о святой Урсуле была необычайно популярна в Средние века, в различных интерпретациях ее знали почти во всех европейских странах.

По преданию, Урсула была дочерью британского короля и в юности приняла обет девственности. В XV—XVI вв. в Европе появилось огромное количество рыцарских орденов, братств, тайных обществ, храмов, посвященных Урсуле.

В 1537 г. в Италии был основан женский монашеский орден урсулинок, который занимался помощью бедным и воспитанием девушек.

На месте, где начали строить монастырь, когда-то находились городские дома, небольшие мастерские, производившие известь и кирпич, сады и т.д. Отделение ордена урсулинок открылось в Чехии в 1636 г. И вскоре они начали скупать дома и участки на облюбованном месте в центре Нове Места. К 1679 г. строительство монастырских зданий было в основном завершено. Здания были построены в стиле раннего барокко.

В 1720—1724 гг. часть зданий комплекса была перестроена в стиле позднего барокко. После этого монастырь несколько раз перестраивался, а самая масштабная реконструкция была проведена в 1880—1890-х гг.

В настоящее время комплекс представляет собой обширный застроенный участок, главным в котором является школьное крыло — трехэтажное здание, выходящее на Национальный проспект. Кроме него, в комплекс входят трехэтажное здание с жилыми помещениями монахинь (клаузура), в основе плана которого лежит латинский крест, как у базилик, трехэтажный, переходящий в двухэтажный, флигель, обращенный к Воршильской улице, здание бывшего хозяйственного флигеля на Островной улице и храм Св. Урсулы рядом со школьным крылом.

Фасад крыла, выходящего на Национальный проспект, первоначально был выполнен в стиле раннего барокко, однако позднее в его облик были привнесены элементы неоренессанса. Лучше всего сохранился раннебарочный портал, украшенный статуей св. Урсулы. Другие здания также перенесли значительную перестройку, например, в крыле на Воршильской улице от позднебарочной архитектуры сохранился только портал.

Внутри зданий комплекса сохранились подвалы, выполненные в стилях ренессанс и барокко. Также здесь можно увидеть помещения со штукатурными украшениями, старинные лестницы, каменные порталы, в частности портал, ведущий в монастырскую трапезную. В трапезной, в свою очередь, стоит обратить внимание на пейзажи XVIII в., написанные на досках, которыми обшиты стены.

Костел Св. Урсулы при монастыре был построен уже после окончания работ над остальными зданиями. Строительство велось с 1702 по 1704 г.

Интересно, что главным фасадом костела является не центральный, а боковой, особенно тщательно декорированный. Центральная часть фасада выступает вперед, средняя ось дополнительно подчеркнута особо. Храм представляет собой типичный образец стиля барокко.

Фасад украшен скульптурами, изображающими св. Урсулу, Агату, Маргариту, Деву Марию и архангела Михаила с ангелами. Перед костелом находится изображение Яна Непомуцкого работы Игнаца Франтишека Платцера.

Монастырь оставался в ведении урсулинок до 1950 г., после чего коммунисты закрыли его, как и все остальные монастыри в Чехии, и монашки были вынуждены уйти. Возможность вернуться у них появилась только недавно, после бархатной революции, хотя в их распоряжение перешла лишь небольшая часть прежних монастырских построек.

Пражский Град

Пражский Град считается местом, откуда начинается история Чехии как государства. Возраст этого дворцового комплекса насчитывает примерно 1130 лет. Крепость, ставшая впоследствии резиденцией чешских королей, была выстроена на возвышении над Влтавой.

На протяжении всего времени существования облик Пражского Града постоянно изменялся, в нем появлялись элементы разнообразных архитектурных и художественных стилей, однако он неизменно оставался и до сих пор остается резиденцией чешских правителей. С конца IX в. и до 1918 г. в Граде пребывали короли, с 1918 г. по 1993 г. президенты Чехословацкой Республики, а с 1993 г. по настоящее время он является резиденцией президента Чехии.

Если над Пражским Градом развевается президентский флаг, это означает, что президент в настоящее время находится на территории Чехии. Ежедневно на Первом дворе Града в 12.00 проходит торжественная смена караула, которая сопровождается фанфарами и передачей президентского штандарта. В мае и октябре, два раза в год, приемные помещения королевского дворца открыты для посетителей.

Первый и Второй дворы Града

Вся территория Пражского Града разделена на дворы стенами. Один из самых популярных маршрутов Праги идет от Градчан к Пражскому Граду через Первый парадный двор. Несмотря на порядковый номер, этот двор является самым новым в Граде. Он появился в 1769 г. в период перестройки города при Марии-Терезии.

Над воротами находится главная достопримечательность этого двора — каменные скульптуры работы Игнаца Франтишека Платцера, изображающие гигантов с ножом и дубиной. Во дворе стоит почетный караул, в полдень торжественно сменяемый в сопровождении оркестра, на что неизменно собираются посмотреть туристы. Через каменную арку во флигеле, замыкающем Первый двор, — Матиашевы ворота, построенные в 1614 г., можно попасть во Второй двор. На ворота обязательно стоит обратить внимание — это первое архитектурное сооружение в стиле барокко, построенное в Праге.

Первоначально Матиашевы ворота, созданные придворным архитектором короля Рудольфа II Джованни Мария Филиппи (1560—1616), играли чисто декоративную роль, так как не были вписаны в стену, а рас-

Ворота в Первый парадный двор

полагались между рвами и мостами Града. Только при Марии-Терезии ворота были присоединены к флигелю Нового королевского дворца. На аттике флигеля находятся скульптуры, символизирующие мир, войну и различные военные эмблемы, установленные после войны 1770—1772 гг. Первоначально здесь стояли скульптуры работы Игнаца Франтишека Платцера, но в 1921 г. их заменили копиями.

Название ворота получили в честь императора Матиаса (Матиаша) II. На фронтоне имеется надпись, перечисляющая его титулы, под ней — императорский герб, а ниже — гербы принадлежавших ему земель. Из-за подъема грунта форма ворот была несколько искажена, в результате чего немного нарушились пропорции 2 : 1, чаще всего встречающиеся в архитектуре порталов Пражского Града.

Ворота, построенные при Габсбургах, едва не снесли во время революции 1918 г. — настолько чехам была ненавистна память об этой династии, однако президент Масарик сумел спасти их.

Второй двор появился во второй половине XVI в., а современный вид здания приобрели после нескольких переделок в конце XVIII в.

Справа от входа, во Втором дворе, находится придворная часовня Св. Креста, построенная в 1764 г. На месте часовни во времена Карла IV располагалась кухня, в которой готовились угощения для пира по случаю коронации императора. Фасад часовни украшают скульптуры свв. Петра и Павла. Во время перестройки часовни в 1856 г. у нее появились некоторые элементы в классическом стиле.

В центре Второго двора находится созданный в XVII в. Леопольдов фонтан, который также называют Львиным. В этот фонтан туристы обычно бросают монетки. Недалеко от Леопольдового имеется еще один фонтан, гораздо более новый, установленный в 1967 г., рядом находится

Леопольдов фонтан и колодец 1719 г.

колодец 1719 г., украшенный кованым решетчатым куполом.

Напротив часовни находится арка, ведущая к Пороховому мосту. В Средние века деревянный Пороховой мост проходил над крепостным рвом и выходил в сад за Пражским Градом. Ров, называвшийся Оленьим, в XVI—XVIII вв. использовался для содержания крупной дичи, добытой на королевской охоте. В XVIII в. деревянный мост заменили искусственной насыпью с тоннелем.

Слева от арки — здание Рудольфовой Галереи, в которой находится сохранившаяся часть коллекции произведений искусства Рудольфа II. До того как коллекция была разграблена шведами в 1648 г., в ней находились картины Рафаэля и Леонардо да Винчи, а также единственный в мире экземпляр Сатанинской библии и волшебный фонарь — прообраз современного кинематографа. Из оставшихся после шведского нападения ценностей значительная часть была вывезена в Вену Габсбургами.

По соседству с Галереей находится Испанский зал, построенный в 1606 г. Название зал получил благодаря своей отделке — во время правления Рудольфа II все самое современное и красивое принято было называть испанским.

Существуют, однако, и другие версии происхождения названия, одна из которых гласит, что здание было построено на месте конюшни, где содержались лошади испанской породы, а другая — что в зале однажды принимали испанского короля. На фасаде находится изображение ордена Золотого Руна, который считался главной наградой Священной Римской империи. Зал многократно перестраивался, последнюю реконструкцию произвели в 1865 г. для коронации Франца-Иосифа, который, однако, отказался короноваться в Чехии.

Третий двор Града

Третий двор — самый древний и самый знаменитый в комплексе города. Именно сюда стремятся попасть толпы туристов, ежедневно посещающие Пражский Град.

Рядом с входом в Третьем дворе находится самый главный пражский храм — собор Св. Вита. Этот кафедральный собор является одним из самых красивых и гармоничных сооружений Пражского Града, да и всей Праги, сочетающим в своей архитектуре готический стиль, ренессанс и барокко. Впечатление производят и размеры этого здания — его внутренняя длина составляет 124 м,

Собор Святого Вита

высота — 34 м, а главная башня поднимается на 96,6 м. Шпили собора видны почти из любой точки Праги.

Сначала на месте собора Св. Вита стояла маленькая романская ротонда, построенная около 925 г. богемским воеводой Вацлавом. Она была освящена в честь св. Вита, защитника от холеры и эпилепсии, очень почитаемого в Средние века. Этот святой был выбран еще и потому, что Вацлав получил от императора Генриха I священную реликвию — мощи св. Вита (руку), которая отныне должна была храниться в ротонде. Кстати, четыре века спустя Карл IV собрал в соборе все мощи св. Вита.

Согласно другой версии, на этом месте находилось святилище языческого бога с созвучным именем — Свентовит. И Вацлав выбрал святого, имя которого было очень похоже на имя языческого бога, желая более легко обратить своих подданных в христианство.

В 1039 г. в ротонду были помещены останки святого мученика Адальберта. В 1060 г. на месте ротонды стала возводиться более просторная церковь. В 1096 г. строительство было завершено. Новая романская базилика была освящена в честь св. Вита, св. Адальберта и св. Вацлава, мощи которого также покоились здесь. Кстати, полное название собора Св. Вита — собор Св. Вита, Св. Вацлава и Св. Адальберта. После учреждения в 1344 г. пражского архиепископства потребовался парадный собор для проведения наиболее торжественных церемоний, и на месте базилики началось строительство.

По проекту, подготовленному французским архитектором Матье из Арраса (ок. 1290—1352), новый готический собор должен был стать самым большим храмом в Праге и всей Чехии, символизирующим три вещи — Прагу как главный в Чехии город, Пражский Град — как начало Праги и сам собор — как главный храм города.

Для того чтобы собрать средства на строительство, Карл IV пустился на разные ухищрения — начал брать налоги с добычи серебра и с церквей, поставил на широкую ногу торговлю индульгенциями. Несмотря на это, при его жизни собор так и не был достроен, более того, строительство продолжалось невероятно долго — почти шестьсот лет, с 1344 по 1929 г.

Через восемь лет после начала строительства умер Матье из Арраса, и продолжать возведение собора Карл пригласил Петра Парлержа, которому в то время было всего 24 года. В период с 1356 по 1399 г. под его руководством были выстроены лестница, капеллы обхода хора, свод пресвитерия и нижняя часть главной башни с Золотыми воротами. Как и Матье, Петр Парлерж был похоронен в северной части собора.

После смерти Парлержа строительством собора занялись его сыновья — Ян, Петр и Вацлав, которые взялись за завершение главной башни, однако их работу прервали Гуситские войны.

Во время сражений собор сильно пострадал — гуситами был разрушен алтарь и повреждены уже отделанные интерьеры.

В начале XVI в. был заложен фундамент северной башни и установлены колонны центрального нефа, однако на этом строительство вновь остановилось. В 1541 г. собор пострадал от большого пожара и для его восстановления был приглашен архитектор Бонифац Вольмут. Зодчий завершил работу, начатую Петром Парлержем, — в 1562 г. достроил главную башню и придал ей ренессансный вид, дополнив галереей и луковичным куполом. В 1575—1576 гг. была возведена часовня над гробницей св. Войтеха под руководством архитектора Ульрико Аосталли де Сала (1525—1597). В XVI в. были изготовлены колокола и украшающие башню часы.

Внутреннее убранство собора снова пострадало в 1619 г. во время восстания в Праге. Протестанты уничтожили и вынесли все украшения и превратили здание в молельню. В 1673 г. была предпринята новая попытка завершить затянувшееся строительство — после посещения Праги императором Леопольдом I был заложен фундамент нового нефа в стиле барокко, спроектированного Джиованни Доминико Орси де Орсини.

Новая война принесла собору новые разрушения — он сильно пострадал от артиллерийского обстрела прусской армии во время войны за Австрийское наследство, а через три года в купол главной башни попала молния, в результате чего он раскололся. Восстановление купола в 1770 г. было поручено архитектору Николо Пакасси (1716—1790), который придал ей барочный облик.

Долгое время после этого не велось никаких строительных работ, и только в 1861 г. в Праге было организовано Общество по достройке собора, которое сыграло немалую роль в завершении начатых работ и придании собору законченного облика. В 1929 г. собор достроили, на его строительство потребовалось почти 600 лет.

Внутри собора столько произведений искусства и памятников архитектуры, что на их осмотр можно потратить несколько дней, но наиболее интересными в историческом плане являются хоры Бонифаца Вольмута, часовня Св. Войтеха и Королевская усыпальница.

Кроме того, перед главным алтарем храма находится величественное надгробие из белого мрамора Фердинанда I, его жены Анны и их сына Максимилиана II. На верхней плите надгробия — скульптурные изображения императора Священной Римской империи Фердинанда I, Анны и Максимилиана II. Несмотря на то что Фердинанд I правил в Вене

Гробница Фердинанда I, Анны и Максимилиана II

и большую часть жизни провел там, он велел похоронить себя в соборе Св. Вита, признав тем самым важную роль Праги в жизни империи. Его внук, Рудольф II, велел похоронить рядом с ним и своего отца, Максимилиана II. Кроме того, за главным алтарем находится усыпальница Яна Непомуцкого, выполненная из чистого серебра, поражающая роскошью и изысканностью отделки. Многие другие королевские особы похоронены в крипте собора Св. Вита. Там же находится и гробница самого Рудольфа II.

Вдоль стен внутри собора идет ряд часовен, в которых находится огромное количество старинных предметов церковной утвари, произведений искусства, а также многочисленные захоронения пражских архиепископов, князей и других лиц, которых пражане сочли достойными чести быть погребенными в главном храме Чехии. Вход почти во все часовни закрыт для обычных посетителей, свободно можно попасть только в некоторые.

В часовне Св. Вацлава

В крипте собора Св. Вита

Одна из открытых для посещения — часовня Св. Вацлава — была построена в 1367 г. Петром Парлержем над ротондой, где был погребен св. Вацлав. Надгробие святого было восстановлено в начале XX в. В часовне больше всего привлекают внимание стены, расписанные и инкрустированные полудрагоценными камнями. Здесь также имеется алтарь в готическом стиле, созданный в XIV в.

В одной из часовен собора находится надгробие в стиле барокко, принадлежащее верховному судье Яну Боржите из Мартиниц, хозяину Мартиницкого дворца на Градчанской площади, и его брату Ярославу (1582—1649), который стал жертвой дефенестрации в 1618 г.

Первые строители собора, Матье из Арраса и Петр Парлерж, покоятся в часовне Марии Магдалины. Недалеко от выхода из собора находится часовня, украшенная витражом с изображением свв. Кирилла и Мефодия, сделанным в 1931 г. знаменитым Альфонсом Мухой. В этой часовне погребены пражские архиепископы, умершие до

1909 г. Архиепископы, умершие позднее, покоятся в нише слева от главного алтаря.

По лестнице, расположенной рядом с часовней Св. Креста, можно спуститься в крипту храма, где находятся могилы Карла IV, четырех его жен и других правителей Чехии.

В соборе Св. Вита хранятся чешские коронационные регалии. Палата, где они находятся, закрыта на семь разных замков, а ключи от них хранятся у семи первых лиц Чешской Республики — президента, мэра Праги, председателя парламента, архиепископа и др. Драгоценности выставляются для обозрения только в самых торжественных случаях.

В часовне Шварценбергов в соборе хранится еще одна реликвия Чехии — бронзовая доска, изготовленная в память о бархатной революции 1989 г., которая, в отличие от коронационных драгоценностей, открыта для обозрения каждый день.

В настоящее время в хорошую погоду открыта для посещения и главная башня собора. Колокола на башне и сейчас находятся в рабочем состоянии — ежедневно на них исполняются слышные на большом расстоянии церковные мелодии.

Базилика
и монастырь
Св. Йиржи

Романская базилика Св. Йиржи (Георгия) — самое древнее сохранившееся здание в Праге. Основан храм был в 921 г. князем Вратиславом I. В базилике похоронены сам основатель, первая чешская мученица св. Людмила, бабушка св. Вацлава и многие другие представители рода Пршемысловичей.

Базилика — второй по величине храм Пражского Града — была построена на самом высоком месте в восточной части города, недалеко от Старого королевского дворца. До настоящего времени первоначальный романский храм X в. не сохранился, однако историки предполагают, что он представлял собой многонефную постройку. Первая переделка базилики началась в 973 г. по приказу сестры князя Вратислава I и настоятельницы монастыря Милады. В 1100 г. храм был полностью переделан и превращен в трехнефное здание.

В 1142 г., после пожара, от которого базилика сильно пострадала, была проведена еще одна перестройка под руководством зодчего Н. Вернера. Реконструкции романского периода завершились пристройкой часовни Св. Людмилы с южной стороны хора. Впоследствии базилика претерпела еще несколько реконструкций, в результате которых ее внешний вид и размеры сильно изменились.

Во второй половине XVII в. была проведена реконструкция западного фасада со стороны площади Св. Йиржи в стиле барокко, автором которой, предположительно, является Франческо Каратти. Перестройка придала

Базилика Св. Йиржи

фасаду новый облик, сочетающий в себе два, казалось бы, несовместимых стиля. Фасад был украшен скульптурами, выполненными Яном Йиржи Бендлом.

В результате последней перестройки, проведенной в 1897—1907 гг., базилика Св. Йиржи приобрела современный вид. В настоящее время базилика представляет собой асимметричную трехнефную постройку с двумя башнями, увенчивающими боковые нефы на востоке. Северную башню нередко называют «Ева», а южную — «Адам». Центральный неф завершается хором с апсидой — полукруглой нишей.

С юго-западной стороны расположена пристроенная в 1718—1722 гг. часовня Св. Яна Непомуцкого работы архитектора Франтишека Максимилиана Каньки. Фасад этой часовни украшают скульптуры Фердинанда Максимилиана Брокофа.

Внутри базилики находятся надгробия князей рода Пршемысловичей: Вратислава II с саркофагом XV в., выполненном в виде домика, и Болеслава II с камнем, окруженным кованой решеткой.

Под центральным нефом находится крипта, вход в которую закрывает барочная дверная решетка, изготовленная в 1732 г. Свод крипты — романский, сохранившийся с XII в. Здесь с 1659 г. хоронили настоятельниц монастыря Св. Йиржи.

На своде хора центрального нефа можно увидеть сохранившиеся фрагменты романской росписи, в конце апсиды имеются фрагменты росписи периода позднего ренессанса на тему венчания Девы Марии на царство.

В часовне Св. Анны в храме имеется одна из самых древних достопримечательностей храма — рельеф первой трети XIII в. На сохранившихся фрагментах изображены Дева Мария, сидящая на троне, и коленопреклоненные настоятельницы монастыря Милада и Берта. По бокам можно увидеть изображения короля Пршемысла Отакара II и его сестры Анежки.

Часовня Св. Людмилы, возведенная в XIV в. для захоронения останков этой святой мученицы, первоначально была самостоятельным сооружением, но впоследствии ее присоединили к базилике.

Построена часовня на старом фундаменте, сохранившемся с начала XIII в., и присоединена с южной стороны. Главной достопримечательностью часовни является готический саркофаг, созданный практически в одно время с часовней. Делали саркофаг под руководством Петра Парлержа. Перед саркофагом находится алтарь в неоготическом стиле, установленный в 1858 г. Алтарный престол украшен рельефом на тему «Дары волхвов» в позднеготическом стиле.

В 1541 г. пострадавшую от пожара часовню Св.

Надгробие князя
Болеслава II с камнем

Людмилы отремонтировали, установив новый свод. Впоследствии свод был украшен фресками, изображающими Деву Марию, Христа, евангелистов, чешских святых и др. Западную стену часовни украшает роспись на темы жития св. Людмилы работы художника Йозева Войтеха Геллиха (1807—1880).

В южном боковом нефе часовни расположены надгробия настоятельниц монастыря, захороненных в XVI—XVIII вв.

Монастырь бенедиктинок при храме также был заложен Вратиславом I и его сестрой Миладой. В этом монастыре на протяжении нескольких поколений воспитывались княжеские и королевские дочери, а среди настоятельниц было немало принцесс. При монастыре Св. Йиржи была открыта мастерская по изготовлению рукописей и цветных миниатюр. Кроме того, в ней создавались замечательные произведения прикладного искусства.

Монастырь в последний раз основательно перестраивался в 1657—1680 гг., а в 1782 г. в рамках программы Иосифа II по упразднению монастырей здание было превращено в казармы. Длительное время монастырь не ремонтировался, разрушался и в итоге сильно обветшал. Полная реконструкция была проведена только в XX в., после чего в 1963 г. в монастыре были размещены коллекции Национальной галереи. Сейчас здесь размещается экспозиция старинного чешского искусства, начало которой было положено еще при императоре Рудольфе II. Среди представленных предметов есть произведения различных периодов и стилей — от романского до барокко.

Старый королевский дворец

Наискосок от собора Св. Вита стоит Старый королевский дворец, построенный в 1135 г. Первоначально дворец предназначался для проживания женщин из королевских семей и только с XIII в. стал резиденцией королей.

Построенный при Пршемысловичах романский королевский дворец к началу правления Карла IV пришел в полное запустение и был почти разрушен. В 1333 г. император начал восстановление дворца.

При реконструкции оставшиеся от романского дворца фрагменты со сводчатыми потолками были сохранены

Старый королевский дворец

только в цокольном этаже, а во втором этаже были сделаны плоские потолки. Дворец расширили, на западе он дошел до бывшей южной башни, которую присоединили к дворцу. Там же было пристроено крыло с северным двориком, где впоследствии разместились королевские покои.

На северной стороне дворца при Карле IV была построена галерея с массивными арками, которая была призвана поддерживать новый северный фасад. Строительство галереи было необходимо для того, чтобы расширить второй этаж, где располагался представительский зал. На месте, где впоследствии появился Владиславовский зал, разместился тронный зал, который имел гораздо меньшие размеры.

Преемник Карла IV Вацлав IV продолжил реконструкцию дворца — к нему были пристроены два перпендикулярных флигеля, в западном помещении, так называемом Колонном зале Вацлава IV, в 1400 г. возвели новые готические своды с нервюрами[9], опирающиеся на две расположенные в центре колонны. Вдоль стен появились консоли различных неправильных форм. В этот же период готические нервюрные своды появились и на втором этаже дворца, а аркады были заполнены каменной кладкой.

При Владиславе Ягеллоне началась новая реконструкция старого королевского дворца. Преобразования начались прежде всего в одном из западных флигелей, который был продолжен. Там, где во времена Карла IV располагались ворота, был создан проезд, а над ним построены два помещения. Большее из этих помещений — зал аудиенций, в котором были построены сложные нервюрные своды, позолоченные в местах пересечения

---

[9] *Нервюра* (от фр. «жилка», «прожилка») — выступающее ребро готического каркасного крестового свода. Наличие нервюр в совокупности с системой контрфорсов и аркбутанов позволяет облегчить свод, уменьшить его вертикальное давление и боковой распор и расширить оконные проемы. Нервюрный свод также называют веерным.

нервюр. Фронтон над окном украшен королевской монограммой. Строительство этого зала приписывается Ганушу Спейссу (1450—1511).

Владиславовский зал, построенный на месте тронного зала времен Карла IV в главном дворцовом флигеле, представляет собой большое парадное помещение, созданное знаменитым пражским зодчим Бенедиктом Рейтом. Интересно решение сводов, ребра которых образуют узоры в виде цветка в центре каждого из пяти полей свода.

Опорами сводам во Владиславовском зале служат не массивные столбы, как в большинстве готических зданий, а пилястры вдоль стен. Таким образом зал был освобожден от разделяющих пространство столбов и получилось полностью открытое помещение, самое большое в Праге того времени. Размеры зала составляют 62 × 16 м.

Владиславовский зал выделяется не только оригинальным оформлением сводов, но и интересным способом опоры. Под залом находятся остатки строений времен Отакара Пршемысла II и Карла IV, а также фрагменты романской кладки, включенные в южный и западный фасады дворца. Бенедикт Рейт в южной части Влади-

Владиславовский зал

славовского зала установил колонны, идущие через три расположенных под залом этажа и опирающиеся на романский фундамент.

В оформлении окон Владиславовского зала уже просматриваются черты зарождавшегося в Праге на исходе XV в. ренессансного стиля. Окна южного фасада оформлены полуколоннами, а северного — пилястрами с каннелюрами (вертикальными желобками). Первоначально в зале устраивались коронационные торжества и даже рыцарские турниры, позднее он стал использоваться просто как место для проведения различных официальных церемоний. Так, в 1944 г. здесь рейхспротектор принимал печально известного генерала А.А. Власова (1901—1946), возглавившего так называемую Русскую освободительную армию в составе немецких войск.

Владиславовский зал соединен с площадью Св. Йиржи Рыцарской лестницей, которая предназначалась для того, чтобы рыцари могли въезжать в зал прямо на лошадях. Так же, как и своды зала, лестничные своды поддерживаются замысловато переплетенными нервюрами, образующими геометрически правильные узоры.

К залу примыкает Людовиково крыло — флигель в южной части дворца, построенный при Владиславе и названный в честь его сына Людовика. В оформлении этого крыла интересно то, что в его наружной части ренессансные черты проявляются уже явственно, в то время как в убранстве интерьера еще преобладают признаки позднеготического стиля.

Злата улочка

При посещении Пражского Града никак нельзя не пройти по легендарной и знаменитой Златой улочке, которая представляет собой на редкость хорошо сохранившуюся частичку старой Праги.

Когда-то эта улочка, состоящая из крошечных домиков, встроенных в арки, оставшиеся от укрепленной

Деревянные фигуры апостолов в окнах курантов
на Староместской ратуше

Астрономические часы на Староместской ратуше

Император Рудольф II. Портрет XVI в.

Доктор Фауст. Чешский манускрипт XVII в.

Герметические сюжеты на домах мистической Праги

В Старо-новой синагоге

На Старом еврейском кладбище

Библиотека Страговского монастыря

Нотный манускрипт из Страговского монастыря XVI в.

Гуситский король Иржи Подебрадский.
Из Славянского цикла А. Мухи

Апофеоз славянства. Из Славянского цикла А. Мухи

В Национальном театре

Национальный музей. Парадная лестница

Танцующий дом

Злата улочка

стены между Белой башней и Далиборкой, носила название Злотницкая, потому что здесь жили золотых дел
мастера. В наши дни расположенные вдоль очень узкой
улочки крошечные двухэтажные домики, окрашенные в
жизнерадостные цвета, — излюбленное место туристов.

В 1597 г. император Рудольф II разрешил поселиться в
этом месте стрельцам города, которые несли караульную
службу и охраняли заключенных. В свободное от службы время стрельцы занимались различными ремеслами,
чему способствовало то, что они находились вне власти
городских ремесленных цехов. Позже на улочке стали
селиться и другие ремесленники, которые не попали в
цехи. Помимо ювелиров, давших название улочке, на ней
жили повара, портные и т.п. В прежние времена улочка
была застроена с двух сторон, так что ее ширина была не
более 1 м, теперь же домики располагаются только с одной
стороны, а с другой идет стена.

Легенда гласит, что Злата улочка была центром алхимиков, собранных в одном месте императором Рудольфом II. Они якобы должны были изобрести для него спо-

соб получения золота. В действительности же алхимиков здесь никогда не было — после ремесленников здесь стала селиться городская беднота, а позже — представители богемы, среди которых писатель — Франц Кафка и поэт Ярослав Сейферт (1901—1986).

В 1952—1955 гг. Злата улочка была полностью отреставрирована, а в ее домиках разместились лавочки, торгующие сувенирами, кружевом ручной работы, травами и другими товарами, рассчитанными на туристов, а также небольшие уютные кафе.

Башни Пражского Града

Силуэт Пражского Града, видимый снизу, из города, немыслим без его знаменитых башен, каждая из которых может рассказать свою историю.

Белую башню, расположенную у одного конца Златой улочки, иногда называют Новой Белой. Она была построена в 1584 г., в то время, когда в городе стояла еще одна Белая башня, где располагалась тюрьма. От старой башни сохранились только остатки кладки из мергеля, которые можно увидеть в крепостной стене за часовней Св. Креста.

После постройки в новую Белую башню из старой была перенесена тюрьма, в которой в свое время сидел Эдвард Келли, алхимик, проживавший в легендарном доме Фауста. Также в Белой башне некоторое время пребывал в заключении камердинер Рудольфа II Кашпар Рудски, который здесь и повесился. Примечательно, что повесился он на золотом шнурке, на котором в свое время носил ключи от казны, значительно уменьшившейся за время его службы.

В 1621 г. в Белой башне сидели представители восставших чешских сословий; сюда же поместили членов масонской организации «Община чешских братьев». В XVIII в. в этой башне содержали аристократов, которые не могли расплатиться с долгами. Сейчас на втором этаже башни можно увидеть помещение, в котором пытали узников и осмотреть орудия пыток. Также здесь продаются различные сувениры для туристов — рыцарские шлемы, доспехи, оружие и т.п.

В другом конце Златой улочки находится легендарная башня Далиборка, которая в свое время являлась частью укреплений города. Башня была построена в 1496 г. Бенедиктом Рейтом на старом фундаменте, оставшемся со времен Пршемысловичей. Первоначально эта круглая башня была гораздо выше, чем сейчас, до настоящего времени от нее сохранилось только пять нижних этажей.

Король Владислав II превратил эту башню в государственную тюрьму, первым узником которой стал дворянин Далибор из Козоедов. По преданию, Далибор обвинялся в том, что возглавил восстание крестьян своего соседа, некоего пана Плосковицкого. В 1498 г. за это преступление Далибору отрубили голову.

Далиборка

Как гласит легенда, за время сидения в тюрьме Далибор научился играть на скрипке, и окрестным жителям так понравилась его игра, что они стали приносить узнику продукты. С тех пор в Чехии существует пословица «Беда научила Далибора играть на скрипке». Достоверность этой легенды весьма сомнительна, так как неизвестно, откуда в тюрьме могла появиться скрипка и кто кормил Далибора до тех пор, пока он не научился играть.

До 1781 г. башня использовалась как тюрьма.

На втором и третьем этажах башни по сей день можно увидеть тюремные камеры, а в полу второго этажа — круглое отверстие, ведущее в подземное помещение для приговоренных к голодной смерти. Туда узников спускали на веревке.

Пороховая башня Мигулка также была построена по проекту Бенедикта Рейта в 1496 г. и являлась частью северных укреплений Пражского Града, однако никогда не использовалась как оружейная башня. Название свое она получила за сходство своей формы с круглоротой рыбой миногой, по-чешски — мигулой.

Размеры Мигулки — самые внушительные среди других башен города. Ее высота составляет 44 м, диаметр — 20 м. В башне долгое время располагалась мастерская, в которой изготавливали боеприпасы, потом здесь работал мастер Томаш Ярош, делавший колокола. При Рудольфе II в Мигулке разместилась алхимическая лаборатория, с чем, по всей видимости, связаны легенды о Златой улочке.

Во время Тридцатилетней войны в башне хранились запасы пороха и взрывчатых веществ, из-за чего ее стали называть Пороховой. В 1648 г., когда Пражский Град был занят шведами, в пороховой склад случайно попала искра и произошел страшный взрыв, который повредил не только саму башню, но и окружающие здания, в частности собор Св. Вита. С середины XVIII в. Мигулка стала жилищем причетников (сторожей) собора Св. Вита.

Башня Мигулка

С 1982 г., после ремонта, башня открыта для посещения. В настоящее время в ней представлено несколько весьма интересных экспозиций, например, средневековых художественных ремесел, истории самой Мигулки и других позднеготических укреплений Пражского Града, а также выставки, посвященные астрологии и алхимии, популярных во время правления Рудольфа II.

Бургграфство

Бывшее здание высочайшего бургграфства являлось резиденцией высшего бургграфа — чиновника, который играл роль заместителя короля в его отсутствие. Обычно на эту должность назначались представители наиболее влиятельных аристократических родов.

Старинное здание бургграфства в северной части города было построено в XIII в. и, хотя с тех пор оно пережило немало реконструкций, в основе его до сих пор сохранилась древняя романская кладка.

Перестройка дворца бургграфа началась практически сразу после его возведения графом Яном из Лобковиц (1450—1517) и продолжалась вплоть до XVI в. В 1541 г., после пожара, была проведена первая серьезная реконструкция здания. После реконструкции дворец обрел новый облик, во многом благодаря ренессансным фронтонам, которые были применены в Чехии впервые, а также отделке башни и фасада в технике сграффито, имитирующей руст — тесаный природный камень.

В 1590-х гг. придворный архитектор Ульрих Аосталио (ок. 1520—1597) провел еще одну реконструкцию, во время которой, предположительно, были созданы росписи одного из залов на втором этаже. Эти росписи были открыты в ходе реставрации в 1963 г. Балочный потолок и стены украшают интересные фрески, представляющие Соломонов суд. Боковые части балок расписаны фресками, изображающими пейзажи и жанровые сцены.

В XVII—XVIII вв. над входным порталом размещали знаки действующих бургграфов, которые можно увидеть

Бургграфство

до сих пор. Над воротами, ведущими во двор, находятся также 4 каменных герба бургграфа.

В здании бургграфства в бытность свою маркграфом моравским с 1334 г. жил будущий император Карл IV, пока восстанавливался Старый королевский дворец. После этого здесь до 1783 г. размещался бургграфский суд, а в настоящее время дворец занимает пражский Музей игрушек.

С 1994 г. ежегодно проводятся Летние шекспировские торжества, во время которых во дворе бургграфства на открытой сцене проходят спектакли по пьесам великого драматурга.

Сады Пражского Града

В эпоху Ренессанса город перестал быть исключительно крепостью. Средневековые укрепления утратили свою значимость, а королевскому двору требовались уже совершенно другие сооружения, более комфортные, предназначенные для репрезентативных целей и утонченных аристократических увеселений. В этот период город значительно увеличился за счет садов и заповедников, где были устроены летние дворцы и постройки для игр и развлечений.

Королевский сад

Королевский сад, простирающийся от улицы У Прашного (Порохового) моста на восток до летнего дворца Бельведер, представляет собой обширный парковый комплекс, выдержанный в стиле итальянского Ренессанса.

Королевский сад был спроектирован и начал создаваться при Фердинанде I, затем это дело продолжалось при его преемниках Максимилиане II и Рудольфе II.

Парк стал результатом совместного творчества лучших итальянских зодчих и садовников. Здесь впервые в

Дворец Бельведер

Чехии были высажены не только декоративные деревья и кустарники, произрастающие в умеренном климате, но и экзотические растения из тропиков: цитрусовые, смоковницы, виноград и т.п. На склоне рядом с Бельведером была построена оранжерея и разбит инжирный сад.

В Королевском саду Града впервые в Европе стали выращивать тюльпаны, раньше, чем в Голландии. Луковицы этих цветов Рудольф II получил в подарок от турецкого султана.

До конца XVI в. садовый комплекс расширялся, в нем были построены сооружения, в которых королевская семья и ее окружение могли приятно проводить время. Здесь появились залы для игры в мяч, летний дворец Бельведер, Львиный двор, где держали львов и медведей.

При Рудольфе II к садовому комплексу добавились фазаний питомник и пруд, в котором разводили редких водоплавающих птиц и рыбу. В 1572 г. было построено здание конюшен.

Во время Тридцатилетней войны сад был сильно поврежден, здания были полностью разграблены и частично разрушены, а насаждения безжалостно сожжены шведскими войсками.

В XVII в. сад был восстановлен и переделан в новом стиле барокко. В нем появилась аллея, ведущая к Летнему дворцу, отреставрирован партер, появились новые скульптурные украшения. В 1670 г. был создан декоративный водоем «Геркулес», авторами которого стали Ян Йиржи Бендл и Франческо Каратти.

В первой половине XVIII в. была проведена реконструкция сада в стиле высокого барокко. К проекту приложил руку известный мастер чешского барокко Килиан Игнац Динценгофер. В саду была проложена новая четырехрядная аллея, построена новая лестница между террасами, установлены скульптуры работы Матиаша Бернарда Брауна, в частности — парные статуи «День» и «Ночь», из которых до настоящего времени сохранилась только вторая.

В 1743 г., во время оккупации Праги французскими войсками, сад снова сильно пострадал, удалось спасти только верхнюю часть, во многом благодаря тому, что руководство города преподнесло французскому военачальнику тридцать ананасов. В 1757 г. сад вновь подвергся разрушению, на этот раз в результате обстрела города прусскими войсками.

В период правления Марии-Терезии и ее сына Иосифа II сад получил новое применение — его стали использовать не для увеселений, а в практических целях — в зданиях парка разместились казармы, мастерские и склады. Многие ненужные с точки зрения императорской семьи сооружения были заброшены и разрушены, как, например, оранжереи для экзотических растений.

В XIX в. сад начали постепенно приводить в порядок. Были восстановлены оранжереи и теплицы, а облик садового комплекса изменился и стал напоминать английские парки периода романтизма. Новый расцвет Королевского сада, однако, продлился недолго, к началу XX в. он вновь пришел в запустение.

Перед Второй мировой войной начались мероприятия по благоустройству паркового комплекса, в ходе которых, в частности, был восстановлен ренессансный садик перед Бельведером. После окончания войны сад полностью реконструировали и в 1990 г. открыли для посещения.

В настоящее время в саду можно увидеть ценные породы деревьев: граб, бук, явор, платан. Кроме этого, в саду выращиваются декоративные кустарники и цветы: азалии, рододендроны, кустарниковые пионы и др. В Королевском саду размещается президентская резиденция, где по традиции жили все президенты, начиная с 1938 г. В основе здания лежит каменная часть оранжереи, построенной в 1731 г. Килианом Игнацем Динценгофером. В 1937—1938 гг. по распоряжению президента Бенеша к нему пристроили боковые флигели.

Королевский сад открыт для посещения с начала апреля до конца октября, попасть в него можно либо с главного входа с улицы у Порохового моста, либо с восточного входа у летнего дворца Бельведер.

«Бельведер» в переводе с французского означает «прекрасный вид». Через этот дворец проходят многие туристические маршруты. В настоящее время здание является одним из немногих образцов истинно ренессансной архитектуры в Праге.

Дворец был построен по приказу императора Фердинанда I, который пожелал иметь собственную летнюю резиденцию. Для этого он распорядился расширить территорию города на север, заложить новый королевский сад, где и должен был разместиться Бельведер.

Помимо дворца в саду Фердинанд построил и другие сооружения — тир, манеж, Львиный двор и другие, что явилось следствием его увлечения утонченными аристократическими забавами и подражанием роскоши дворов итальянских князей.

Образцом для летнего дворца явились ренессансные итальянские виллы, а возведением его руководили итальянские зодчие. Строительство началось в 1538 г. и продолжалось до 1560 г. В 1540 г. вокруг дворца была построена арочная галерея в североитальянском стиле, поддерживающая широкий балкон. Крыша, венчающая верхний этаж, оригинально профилирована и схожа с крышей Национального театра.

Перед дворцом был разбит небольшой садик в ренессансном стиле с клумбами и аккуратно подстриженными кустарниками. Главным украшением садика стал знаменитый Поющий фонтан, созданный в 1568 г. Фонтан был отлит из металла и под воздействием падающих струй воды издавал мелодичные звуки.

Поющий фонтан

В конце XVIII в., при Иосифе II, здание дворца было превращено в артиллерийскую лабораторию, что, несомненно, отрицательно отразилось на его состоянии. В середине XIX в. Бельведер был реконструирован, а его интерьеры приобрели свой нынешний вид в 1855 г. С 1990 г. дворец используется как выставочный зал.

В Королевском саду находится еще одно интересное здание — бывший Зал для игры в мяч. Это длинное прямоугольное здание было построено в 1567—1569 гг. для распространенных в то время среди аристократии игр в мяч. Здания для таких целей возводились достаточно часто, и новый большой зал, третий по счету в Пражском Граде, быстро стал пользоваться популярностью.

В то время играли в мяч так: в круг вставали несколько человек и бросали друг другу мяч, сделанный из кожи. Мяч нужно было отбивать, для чего использовались деревянные палки или туфли. Иногда игра велась и по-другому — по мячу ударяли палкой, направляя к сопернику, который должен был поймать его на лету.

Возведенный под руководством придворного архитектора Бонифаца Вольмута Зал для игры в мяч стал его

Зал для игры в мяч

последней и самой успешной работой. Довольно долго здание использовалось по назначению, затем в 1723 г. его приспособили под конюшню, а в конце XVIII в., при Иосифе II, его переделали в военный склад. Длительное время зал не ремонтировали, и многие элементы декора пострадали от этого. Восстановление началось лишь в XX в. Первая попытка реконструировать сграффито на фасаде была произведена в 1918 г., однако она оказалась неудачной. Основательная реставрация началась в 1925 г. и продвигалась успешно, однако здание сильно пострадало во время отступления немцев в 1945 г. Немцы подожгли кровлю и временный деревянный потолок, после чего от здания остались только несущие стены.

После освобождения Чехии вновь начались реставрационные работы, которыми руководил Павел Янак. Реконструкция зала была завершена в 1973 г. В настоящее время здание используется для проведения различных культурных мероприятий.

Южный фасад зала, обращенный к Оленьему рву, оформлен массивными опорами, а северный, наиболее интересный, представляет собой роскошно украшенную сграффито аркаду. Высокие массивные опоры, выполненные из песчаника, зрительно расчленяют северный фасад, контрастируя с тонким изящным декором.

Между высокими полуколоннами с ионическими капителями находятся прекрасные ренессансные росписи, кроме того, на стенах имеются аллегорические изображения четырех стихий, семи основных человеческих добродетелей, а также восьми наук. Примечательно, что в 1950 г. к этим изображениям были добавлены серп и молот как символы сельского хозяйства и промышленности, а также символ пятилетки.

Внутренняя часть помещения представляет собой зал длиной 68 м и высотой 14 м, который венчает цилиндрической формы свод с люнетами.

Наряду с летним дворцом Бельведер и Залом для игры в мяч, манеж Пражского Града представляет собой одну из важнейших достопримечательностей Королевского сада. Это здание удивляет не только размерами (его длина 92 м), но и изяществом и выразительностью архитектуры. Особенно это касается прекрасно выполненного фасада, украшенного великолепным ордером в тосканском стиле. Конструкция манежа предусматривала наличие открытого загона для лошадей и аркадной галереи.

Манеж был построен по приказу императора Леопольда I. Строительством, продолжавшимся с 1694 по 1698 г., руководили архитекторы Жан Батист Мате и Маркантонио Канневалле (1652—1711). Главным стимулом к строительству такого масштабного манежа во многом было появление роскошного манежа в Вальдштейнском дворце. Императорская семья не могла допустить, чтобы королевский дворец в чем-либо уступал дворцам аристократии.

В 1760 г. случился пожар, от которого больше всего пострадала кровля манежа. После этого вместо прежнего был построен простой балочный потолок, который сохранился по сей день. Главный фасад в прежние времена украшали скульптурные изображения двух коней и большого императорского орла, однако до настоящего времени они не сохранились, так как были разрушены во время реконструкции.

Манеж представлял собой сочетание двух частей — зимней и летней. Зимняя часть была специально оборудованным помещением для верховой езды в зимнее время, а летняя, открытая, была оборудована зрительными ложами. Помимо конюшен в комплекс манежа входили фазаний питомник, пруд, плотницкая и кузнечная мастерские, псарня и др.

Олений ров

Олений ров — это природный овраг на территории города, проходящий от улицы У Бруснице до Хотковского шоссе. Площадь этого оврага составляет 8 га. Когда-то этот Олений ров был руслом маленькой речки Бруснице, которая теперь течет по специально сооруженной подземной трубе.

До конца Средневековья Олений ров использовался как естественная защита Пражского Града от нападения с севера. После того как была изобретена артиллерия, ров потерял свое стратегическое значение, а в конце XV в. на южном склоне рва были возведены Ягеллонские укрепления.

Начиная с эпохи Средневековья неотъемлемой частью дворцовых комплексов аристократии являлись зверинцы, которые, как правило, устраивались в глубоких рвах. Императорская резиденция не являлась исключением, вплоть до 1743 г.

Олений ров был местом содержания прирученных ланей и оленей, из-за этого он и получил свое название. Кроме того, здесь находился еще и Львиный двор, в котором, как и в верхнем Львином дворе, держали львов. Львиный двор в Оленьем рву, построенный во второй половине XVI в., представлял собой прямоугольное здание, состоящее из семи отдельных загонов и площадки для выгула. Различия между климатическими условиями тропиков и Чехии в то время не принимали во внимание, из-за чего животные, содержавшиеся здесь, часто болели и погибали.

В 1534 г. за Оленьим рвом был устроен ренессансный парк с декоративными деревьями, который соединялся с королевскими покоями крытой галереей, проходящей по специально построенному мосту через Олений ров, называвшемуся Пороховым.

Первоначально деревянный Пороховой мост был двухэтажным и стоял на пяти каменных опорах. Этот мост сгорел во время перестройки города во времена Марии-Терезии, и вместо него была проложена насыпь, разделившая ров на две части.

В верхнюю часть Оленьего рва можно попасть, пройдя через Бастионный сад по Циклопической лестнице или по тропинке с улицы У Бруснице. В этой части рва во времена Первой Республики располагался питомник, в котором содержались медведи, полученные президентом Т. Масариком в подарок от русских легионеров.

Из верхней части рва можно пройти на круглую обзорную площадку, называемую Масариковой, доступ на которую после войны долгое время был закрыт. Когда-то здесь любил сидеть сам президент.

Нижняя часть Оленьего рва впервые была открыта для посещения в 1999 г. Попасть туда можно по тропе, ведущей с Хотковского шоссе.

Обе части Оленьего рва были торжественно объединены 3 сентября 2002 г. В настоящее время объединенный Олений ров является местом проведения различных культурных мероприятий.

Градчаны

Градчаны — один из старейших районов Праги, в котором, несмотря на относительно небольшие размеры, находится огромное количество памятников архитектуры. Расположены Градчаны недалеко от Пражского Града и образуют с ним единое целое.

Время основания этого района приходится приблизительно на период правления короля Яна Люксембургского. Поначалу Градчаны были вассальным городком, относящимся к бургграфству Пражскому, а основателем принято считать бургграфа Гинека Берку из Дубы.

В Средние века Градчаны были местом проживания дворцовой челяди — слуг, сокольничих, конюхов и т.д. Нынешних великолепных зданий здесь не было и в помине, на их месте находились небольшие домики, среди которых несколько выделялись только здания, где прожи-

Типичный уголок в Градчанах

вали приближенные к королевскому двору аристократы, а также служители собора Св. Вита.

После строительства при Карле IV укреплений в левобережной части Праги между ними и Страговскими воротами Градчан было основано предместье Погоржелец. На северо-западе вскоре появился еще один градчанский район — Новый Свет.

Во время Гуситских войн Градчаны и Погоржелец очень сильно пострадали, так как этот район находился на подступах к Пражскому Граду и подвергался нападениям как со стороны гуситов, так и королевских войск.

После окончания войн Градчаны постепенно начали восстанавливаться, особенно оживилось строительство в период правления Ягеллонов, когда в верхней части Градчанской площади появилась первая ратуша.

В 1541 г. Градчаны снова были разрушены. На этот раз причиной стал большой пожар, полностью уничтоживший дома дворцовой обслуги. Пражская аристократия обратила внимание на освободившееся под стенами города удобное место и стала строить там свои дворцы и особняки.

Поселение вскоре получило статус города, а после сражения на Белой Горе большая часть собственности чешской аристократии перешла к австрийским католикам, которые предпочли селиться в Праге, так как столице империи Вене угрожало нашествие турецких войск. Застройка Градчан дворцами знати приостановилась в XVIII в., когда продвижение турецкой армии в Европе было остановлено и австрийские князья начали возвращаться в Вену.

Современные Градчаны мало изменились с тех времен, когда были одним из самых привилегированных районов Праги, за тем исключением, что большинство дворцов теперь являются музеями.

Градчанская площадь и окрестности

Градчанская площадь является историческим центром района Градчаны. Планировка площади сохранилась практически в том же виде, что и в середине XVI в. Тогда вокруг площади располагались дома горожан, но в 1541 г., после того как пожар уничтожил большинство домов, на их месте были построены дворцы церковной и светской аристократии.

Шварценбергский (Лобковицкий) дворец, расписанный сграффито, представляет собой один из самых ярких образцов чешской ренессансной архитектуры. Здание располагается на самом заметном месте, образуя единый ансамбль с Пражским Градом. Этот дворец практически полностью сохранил свой первоначальный облик, что в Праге большая редкость.

Дворец был построен в 1563 г., и первым его хозяином был бургграф Пражского Града Ян из Лобковиц. Автором проекта был Августин Галли по прозвищу Влах. Отделка продолжалась до 1580-х гг. В последнем десятилетии XVI в. род Лобковицких впал в немилость у императора

Градчанская площадь

Рудольфа II, и дворец был конфискован в пользу государства.

В 1600 г. дворец был продан, после чего на протяжении более чем ста лет переходил из рук в руки, пока в 1719 г. его не приобрел дворянский род Шварценбергов. Новые владельцы переделали дворец в стиле позднего барокко, реконструкция осуществлялась по проектам Антона Эрхарда Мартинелли (1684—1747) и Маркантонио Каневалле.

Со временем, как и многие другие градчанские здания, Шварценбергский дворец опустел, так как его владельцы перебрались поближе к императорскому двору, в Вену. В начале XX в. во дворце находилась военная конюшня, а в 1908 г. он был сдан в бесплатную аренду Национальному техническому музею для устройства выставок. С 1947 г. Шварценбергский дворец стал использоваться под экспозиции Военно-исторического музея, а в 2000 г. перешел в ведение Национальной галереи.

Дворец имеет в плане Т-образную форму. Правый флигель ниже левого и соединен с ограждением, замыкающим внутренний дворик.

Дворец Шварценбергов (Лобковицкий)

Наиболее примечательными деталями архитектуры дворца являются фасады, украшенные сграффито, в которых присутствует влияние мотивов итальянского ренессанса. На фасаде выделяется выступающий вперед карниз с люнетами, а ступенчатый фронтон украшен пилястрами.

На одной из печных труб дворца находятся ренессансные солнечные часы, которые видны только с одного места — от дома «У двух солнц» на улице Нерудовой. По обе стороны часов находятся изображенные в технике сграффито символы дня и ночи — петух и сова. Латинская надпись под часами «Hora ruit» переводится, как «Время бежит».

В интерьерах Шварценбергского дворца наибольший интерес вызывают залы на третьем этаже, где можно увидеть замечательно расписанные потолки. Росписи в главном зале выполнены темперой на холстах, натянутых на специальные деревянные конструкции. Тематика росписей взята из произведений Гомера. В расположенном рядом зале имеются росписи, выполненные по гравюрам Виргила Солиса (1514—1562).

Рядом со Шварценбергским дворцом находится Салмовский дворец, принадлежавший до 1811 г. Вилему Валентину из Салма. Затем его выкупил Йозеф Шварценберг и присоединил к своему дворцу. Рядом с дворцом в настоящее время находится памятник первому чешскому президенту Масарику.

Раннебарочный Тосканский дворец построен в 1691 г. Над порталами с колоннами находятся гербы тосканских герцогов, которым дворец принадлежал с 1718 г.

На Градчанской площади находится одно из немногих зданий, сохранившихся после пожара 1541 г. — приходской костел Св. Бенедикта, построенный в XIV в. Первоначально костел был готическим, однако после нескольких реконструкций приобрел барочный вид.

В 1626 г. костел был передан ордену кармелиток, а в 1655 г. рядом с ним были построены монастырские здания, которые долгое время использовались как гостиница для важных гостей города. В настоящее время по закону о реституции костел и монастырь вновь перешли к ордену кармелиток.

Здание бывшей Градчанской ратуши было построено в 1604 г. вместо первого, уничтоженного пожаром. Строительство началось после того, как Градчанам был пожалован статус королевского города. От новой ратуши сохранились расписанный в технике сграффито фасад, на котором еще можно увидеть фрагменты императорского герба и герба Градчан. После того как при Иосифе II пражские города были объединены в один, ратушу упразднили, а ее здание отдали под жилой дом.

Мартиницкий дворец получил свое название по имени владевшего им в начале XVII в. Ярослава Боржиты из Мартиниц. Сам дворец был возведен в XVI в., но сын Боржиты после 1620 г. приказал его расширить и переделать в позднеренессансном стиле, в результате чего появился сохранившийся до наших дней декор. Росписи стен были обнаружены под штукатуркой только в 1971 г., в ходе восстановления дворца. Во времена социализма в Мартиницком дворце размещалось Главное архитектурное управление Праги, а в настоящее время — Главное управление территориального развития. В залах дворца довольно часто устраиваются выставки.

Грзанский дворец, расположенный в доме № 9 по Лоретанской улице, идущей от Градчанской площади, первоначально имел готический вид и принадлежал известному архитектору Петру Парлержу. В XVI в. дворец был перестроен в ренессансном стиле, а в XVIII в. его реконструировали, после чего в декоре дворца появились некоторые элементы позднего барокко. Название дворец получил благодаря роду Грзанов, который некоторое время владел им.

Слева от Пражского Града, за Градчанской площадью, находится старинный Архиепископский дворец, в котором и сейчас размещается пражский архиепископат.

Дворец архиепископа

Первоначально, в X—XII вв., резиденция пражских епископов располагалась рядом с собором Св. Вита, в Третьем дворе Града. На этом месте до сих пор сохранился старый дом пробста. Впоследствии резиденция была перенесена в Епископский двор, находившийся рядом с Юдифиным мостом.

Во время Гуситских войн старый епископский дворец был уничтожен, от него до настоящего времени сохранилась только башня на Мостецкой улице.

Строительство нового дворца началось в XVI в. Первоначально здание предназначалось для фаворита императора Фердинанда I Флориана Гриспека, секретаря чешской палаты. Пожар 1541 г. приостановил строительство, а в 1561 г. недостроенное здание выкупил император Фердинанд I и передал его архиепископу Пражскому Антонину Брусу (1518—1580) под новую резиденцию. Этот поступок императора был призван показать всему миру, что Прага вновь вернулась к католичеству после разгрома гуситского движения.

Проектировал дворец архитектор Бонифац Вольмут, а строительством, продолжавшимся с 1562 по 1564 г., руководил Ульрико Аосталли де Сала. Дворец в первоначальном ренессансном варианте просуществовал недолго, уже в 1675 г. началась его перестройка в раннебарочном стиле по проекту Жана Батиста Мате, которая длилась до 1694 г. В 1720-х гг. была построена епископская канцелярия (консистория).

В 1764—1765 гг. архиепископ Антонин Пршиховский (1707—1793) поручил архитектору, последователю пражской школы рококо Яну Йозефу Вирху (1732—1782), провести еще одну полную перестройку здания, после которой дворец в общих чертах приобрел свой нынешний вид.

Архиепископский дворец представляет собой четырехэтажное здание в четыре крыла, с внутренними дворами. Первый двор разделен на две части мостиком с аркадным коридором, пространство между консисторией и дворцом занимает второй двор, а еще один, находящийся с северной стороны дворца, окружен хозяйственными постройками.

Главный фасад архиепископского дворца, обращенный в сторону Градчанской площади, состоит из трех ярусов, оформленных изящными полуколоннами и пилястрами. Ризалит (выступающая вперед часть) главного фасада завершен надстройкой, которую увенчивает фронтон, украшенный тимпаном. Главный портал выполнен из мрамора в стиле барокко, а боковые порталы представляют позднее барокко. Балконы и окна каждого этажа различны по форме и размерам: на нижних этажах — прямоугольные, арочные над боковыми порталами и ризалите, круглые и квадратные на четвертом этаже.

Скульптурный декор главного фасада, в том числе и герб архиепископа Пршиховского, был создан в мастерской Игнаца Франтишека Платцера, однако в настоящее время все украшения заменены копиями. Декор других фасадов также представляет собой копии. Интерьеры архиепископского дворца в большинстве своем представляют позднее барокко, в частности, парадная лестница,

Штернбергский дворец

декорированная пластикой Игнаца Платцера, камины и люстры в залах. В тронном зале можно увидеть хорошо сохранившиеся гобелены, а в обеденном — старинные портреты пражских архиепископов и другие работы знаменитых художников. На втором и третьем этажах потолки большинства помещений украшены лепниной.

Слева от архиепископского дворца находится небольшая улочка, ведущая к Штернбергскому дворцу — интересному образцу барочной архитектуры, в строительстве которого в XVII—XVIII вв. участвовали такие знаменитые архитекторы, как отец и сын Динценгоферы — Криштоф (1655—1722) и Килиан Игнац, Антон Эрхард Мартинелли, Джованни Батист Аллипранди.

Во дворце в настоящее время размещается коллекция Национальной галереи, которая состоит из произведений мастеров европейского искусства. Основоположником знаменитой коллекции является граф Йозеф Штернберг, создавший в 1796 г., по примеру западноевропейских аристократов, Общество друзей искусства.

Первая пражская картинная галерея, созданная Штернбергом, постепенно расширялась, и к концу XIX в. в ней находились уже шедевры таких признанных мастеров, как Эль Греко, Питер Брейгель, Рембрандт, Гойя и Веронезе, а также лучших чешских художников.

В 1935 г. коллекцию выкупило государство, а в 1945 г. она была включена в состав Пражской Национальной галереи. После того как в 1948 г. к власти в Чехии пришли коммунисты, галерея значительно расширилась за счет конфискации произведений искусства у частных лиц. Многие из этих работ в настоящее время возвращены наследникам прежних владельцев по закону о реституции 1990 г.

Лоретанская площадь и окрестности

От Градчанской площади к Лоретанской ведет начинающаяся у ратуши Лоретанская улица. Площадь и улица получили свое название по расположенному на площади монастырю.

Доминанта площади — Лоретанский монастырь — один из самых знаменитых в Праге благодаря тому, что в нем находится огромное количество старинных предметов и произведений искусства.

Происхождение названия, по легенде, связано с тем временем, когда турки подходили к Назарету. Ангелы перенесли хижину Девы Марии из Назарета в местечко Лорета в Италии, которое позже стало местом массового

Лорета на Лоретанской площади

паломничества. Когда после битвы на Белой Горе в Чехии стало активно насаждаться католичество, копии хижины, принадлежавшей Деве Марии, были построены по всей стране, в том числе и в Праге.

Пражская Лорета была возведена по повелению Бениньи Екатерины Лобковиц (1582—1636), которая сама заложила первый камень. Вплоть до начала XX столетия Лорета находилась под опекой рода Лобковиц.

Лоретанский комплекс представляет собой дворик с часовней «Святая хижина», вокруг которой впоследствии был построен храмовый комплекс. Первоначально дворик был обнесен прямоугольным аркадным амбитом — обходным коридором, затем этот амбит перенесли на второй этаж. Храмовый комплекс расширился, к нему добавились часовни.

Часовня «Святая хижина» в Лоретанском комплексе, конечно, мало напоминает настоящую хижину. Этот изящный домик украшен росписями, рельефами и скульптурами, изображающими сцены из жизни Девы Марии, по обеим сторонам его находятся оригинальные

Часовня «Святая хижина»

фонтаны, построенные в 1739—1740 гг., один из которых называется «Вознесение Девы Марии», а другой — «Воскресение Христа».

Главными достопримечательностями Святой хижины являются драгоценный алтарь, сделанный из чистого серебра, и статуя Девы Марии XVII в.

Вокруг Святой хижины в начале XVII в. начал возводиться монастырский комплекс, который в течение двух столетий постепенно перестраивался и расширялся, добавлялись новые детали, а оформление внутреннего пространства было закончено только в XIX в.

В монастырский комплекс входят несколько зданий, на которые стоит обратить внимание. На одной линии с хижиной находится костел Рождества Христова, в перестройке которого в XVIII в. принимали участие Криштоф и Килиан Игнац Динценгоферы. Криштоф Динценгофер спроектировал общий фасад Лоретанского комплекса и начал реконструкцию костела, а закончил дело его сын Килиан Игнац.

Костел является ценнейшим архитектурным шедевром в Градчанах. Его внутреннее убранство считается одним из самых роскошных — здесь находятся замечательные алтари эпохи Ренессанса, своды, расписанные великолепными фресками, и большое количество скульптурных украшений. В костеле хранятся скелеты святых Фелициссимуса и Марсии в роскошных нарядах; лица скелетов прикрыты посмертными масками.

Фасад Лореты с башней украшают фигуры евангелистов и св. Анны, матери Девы Марии. В верхней части башни установлены сделанные в 1694 г. куранты с механической системой колоколов, подобной которой нет в Европе: 27 колокольчиков работы голландского мастера Клаудио Фромма каждый час вызванивают гимн «Тысячекратно славим тебя», посвященный Деве Марии.

Во дворе одной из часовен монастыря — Скорбящей Божьей Матери — находится необычная скульптура, изображающая женщину с бородой, неизменно вызывающая интерес у посетителей Лореты. Это изображение святой

Старосты — католической мученицы. Староста была дочерью короля Португалии, и отец распорядился насильно выдать ее замуж за короля Сицилии. Девушка всю ночь молилась и наутро у нее выросла борода, запланированная свадьба расстроилась, а отец в ярости велел распять дочь. С тех пор Староста считается покровительницей женщин, несчастных в браке.

Внутри этой же часовни есть изображение другой святой — Аполены, которая покровительствует стоматологам. Так считается потому, что ей выбили зубы за отказ отступиться от христианского учения.

В западном крыле монастыря находится известная на всю Европу Лоретанская сокровищница, где выставлено огромное количество ценных произведений искусства и церковной утвари, относящихся к XVII—XVIII вв. Сокровищница Лореты — вторая по количеству ценностей после коллекции собора Св. Вита. Самым старым экспонатом Лореты является чаша, сделанная в 1510 г. в готическом стиле. Наиболее известный предмет коллекции — дароносица «Пражское солнце» (1698), выполненная из золота и серебра и украшенная более чем 6 тыс. бриллиантов.

Второй по значимости достопримечательностью Лоретанской площади является Чернинский дворец, расположенный в северной ее части. Он был построен для

Чернинский дворец в вечернем освещении

графа Гумпрехта Яна Чернина из Худениц (1628—1682), императорского посла в Венеции в 1677 г. Спроектировал и построил это монументальное сооружение итальянский архитектор Франческо Каратти. Оформление дворца росписями и пластикой выполнялось лучшими итальянскими мастерами. Дворец совершенствовался и достраивался вплоть до XIX в. при активном участии потомков Каратти.

В 1720 г. здание было реконструировано под руководством Франтишека Максимилиана Каньки, в оформлении интерьеров приняли участие Матиас Бернард Браун и Вацлав Вавринец Райнер (1689—1743). Дворец дважды пострадал от обстрелов во время войн — сначала в 1742 г., а затем в 1757 г. Восстановление стоило слишком дорого, род Черниных наделал долгов и был вынужден отказаться от проживания во дворце.

В 1777 г. дворец приспособили для проведения различных культурных мероприятий — балов, концертов и пр. В конце XVIII в. дворец стал использоваться в качестве лазарета, затем некоторое время служил пристанищем для пражской бедноты, а с 1851 г. в нем размещались казармы. Долгое время здание не ремонтировалось и сильно обветшало, реконструкция была проведена только после 1928 г., когда дворец стал собственностью государства.

С 1934 г. до настоящего времени во дворце размещается Министерство иностранных дел Чехии. Дворец в современном состоянии представляет собой здание, состоящее из двух крыльев с внутренними дворами и по стилю напоминает венецианские дворцы. Длина дворца составляет 150 м, что намного больше любого другого барочного сооружения в Чехии. Внутреннее убранство дворца было восстановлено с максимальным приближением к первоначальному, однако увидеть его обычным туристам вряд ли удастся, так как в помещения министерства не пускают посетителей.

В Праге поговаривают о том, что дворец приносит несчастье тем, кто в нем обитает, начиная с основателей — рода Черниных, которые потеряли на его постройке и содержании все свое состояние. В XX в. первый министр иностранных дел, Эдуард Бенеш, был вынужден покинуть Чехию и умер в изгнании, второй министр, сын президента Масарика Ян Масарик (1886—1948), выпал из окна (есть версия, что его убили коммунисты), трое из нацистских правителей Чехии, проживавших здесь в 1939—1945 гг., были повешены, один убит и еще один осужден на пятнадцать лет лишения свободы.

На Лоретанской площади, помимо вышеперечисленных зданий, находятся костел Девы Марии Ангельской и самый старый в Чехии монастырь капуцинов, построенные в начале 1602 г. Лучше всего посетить это место в канун католического Рождества, когда в костеле выставляют роскошный макет ясель, в которых родился Христос, и фигурки святых в барочном стиле.

После Лоретанской площади многие туристические маршруты ведут к площади Погоржелец — третьей по значению после Градчанской и Лоретанской на Градчанах. Эта площадь появилась в 1375 г. и первоначально была частью градчанского предместья. В 1420 г., во время сражения гуситов с претендентом на чешский престол Сигизмундом, площадь полностью сгорела, и, к сожалению, в ее истории это был не последний пожар. Площадь горела еще дважды — во время большого пожара в 1541 г. и во

Площадь Погоржелец

время войны с французами в XVIII в., так что название Погоржелец вполне соответствует ее истории.

Самое старое сохранившееся здание на Погоржельце — Широкий Двор, построенный еще в XV в., где раньше размещались постоялый двор и конюшни. Перед этим зданием находится статуя самого почитаемого чешского святого, изображения которого имеются по всей Праге, — Яна Непомуцкого.

Рядом с Широким Двором, на Парлержевой улице, расположена гимназия имени Иоганна Кеплера (1571—1630), во дворе которой находятся развалины дворца эпохи Ренессанса, где в свое время жили великие астрономы Иоганн Кеплер и Тихо Браге. Перед зданием гимназии стоит памятник этим ученым.

Мала Страна

Мала Страна (Нижний город), несмотря на свое название, вполне, впрочем, соответствующее ее размерам, не менее интересна, чем другие пражские районы, а памятных и красивых мест здесь почти столько же. Название этой части Праги появилось как противопоставление располагавшемуся на правом берегу Влтавы Великому Месту, как называли в то время поселение вокруг Староместской площади.

Когда-то этот район на левом берегу Влтавы, рядом с городом, был очень популярным, люди охотно селились там, рассчитывая на защиту крепости и более обеспеченную жизнь. Однако в 1257 г., при Отакаре II, на место чешских поселенцев были приглашены колонисты из северных германских княжеств, которые должны были обеспечивать безопасность города. Первые жители города были выселены в окрестные деревни, а Мала Страна вплоть до

Панорама Малой Страны

падения Австро-Венгрии была немецким районом, да и после этого долгое время большинство населения здесь составляли немцы.

В 1419 г., во время Гуситских войн, Мала Страна была практически полностью сожжена, а затем отстроена заново. Долгое время это поселение играло роль защитного форта на подступах к Пражскому Граду.

В настоящее время этот район один из немногих в мире, в котором сохранились целые кварталы домов в стиле барокко и ренессанса.

Малостранские мостовые башни

Проходящая через всю Прагу Королевская дорога ведет от Старе Места через Карлов мост в Малу Страну. Сразу за мостом находятся ворота между двумя древними мостовыми башнями, на которые нельзя не обратить внимания.

Малая мостовая башня, меньшая из двух, представляет собой сохранившийся до наших дней фрагмент крепостных укреплений на левом берегу Влтавы, датируемый первой половиной XII в. Эта башня не имеет прямого отношения к Карлову мосту, так как стояла здесь еще до постройки первого, Юдифина, моста. В то время пару ей составляла вторая романская башня, не сохранившаяся до наших дней. Тогда эта мостовая башня именовалась Большой, так как была больше первой размером. Старые романские ворота, находившиеся на месте нынешних, также не сохранились до нашего времени. Обе башни и ворота являлись основной частью укреплений Малой Страны, охранявших подступы к Пражскому Граду.

Первоначальный романский облик башни претерпел серьезные изменения в периоды готики и ренессанса. Последняя крупная реконструкция в ренессансном стиле

Малостранская мостовая башня

Староместская мостовая башня

Карлов мост

была произведена в 1591 г., от нее сохранились остатки декоративной штукатурки, имитирующей руст, декоративные фронтоны и форма порталов и окон.

На восточной стороне башни стоит обратить внимание на романский рельеф, взятый в рамку, на котором представлены две фигуры в натуральную величину. Одна из них изображает человека, стоящего на коленях, другая — человека, сидящего на троне. Этот рельеф — один из ярких образцов чешской романской скульптуры.

Попасть в Малую башню можно через соседний дом, в котором размещались таможня и Управление моста Пражского. Башня разделена на четыре этажа, на каждом из которых имеется по комнате. Этажи соединены между собой деревянной лестницей.

Высокая мостовая башня была построена на месте древней романской башни, составлявшей пару с Малой. Построена она была по распоряжению короля Йиржи из Подебрад в 1464 г.

В облике этой башни прослеживается определенное сходство со Староместской мостовой башней. Внешние стороны этой прямоугольной в плане башни украшены небольшими нишами с нарезками, которые заставляют предположить, что при строительстве было запланировано скульптурное оформление. В 1879—1883 гг. башня была реконструирована под руководством Йозефа Моккера и приобрела современный вид.

Малостранские ворота между мостовыми башнями представляют собой стрельчатые аркады, украшенные по верхнему краю зубцами. На створках ворот со стороны моста имеются символы — Люксембургский лев, Чешский лев и Моравская орлица, а также герб Старе Места. На внутренней стороне створок находятся знаки князя Вратислава, Долни Лужнице, а также Малой Страны.

Малостранская площадь и Нерудова улица

Историческим центром Малой Страны является Малостранская площадь. Пройти к ней от Карлова моста можно по вымощенной булыжником старинной Мостецкой улице.

В центре площади находится Чумной столб, построенный в 1715 г. Несмотря на страшное название, столб представляет собой настоящий шедевр. Он украшен скульптурами святых покровителей Чехии и увенчан золотыми звездами.

Знаменитый храм Св. Микулаша, или Николая, как его еще называют, делит площадь на две части — верхнюю и нижнюю. Вход в храм находится в верхней части площади. Первоначально на этом месте находился готический костел Св. Микулаша, а в XVIII в. здесь был настоящий архитектурный шедевр в стиле барокко. В настоящее время храм Св. Микулаша является визитной карточкой Малой Страны.

Храм был заложен в 1673 г. и строился довольно долго, в течение восьмидесяти лет. Авторство проекта

Малостранская площадь

принадлежит знаменитым мастерам пражского барокко Франческо Каратти и Джиованни Доминико Орси де Орсини. Существует мнение, что неф и южный и западный фасады проектировал Ян Блажей Сантини-Айхль, так как оформление этих частей храма во многом сходно с другими работами этого зодчего — минимальный декор на стенах и масштабность. Колокольню храма спроектировал Ансельмо Мартино Лураго.

Строительство главного нефа было завершено в 1713 г. С 1737 по 1752 г. строительство возглавлял Килиан Игнац Динценгофер, работе которого принадлежит восточная часть храма и купол.

Внутреннее убранство храма также выдержано в стиле барокко и поражает своим великолепием. На своде главного нефа находится фреска, выполненная Яном Лукашем Кракером (1717—1779) в 1761 г., посвященная святому Микулашу. По размерам эта фреска относится к крупнейшим в Европе — ее площадь составляет около 1500 м². Купол украшен работами Франца Ксавьера Карла Палко (1724—1767), ниже находятся четыре монументальные статуи в натуральную величину, изображающие отцов церкви и выполненные Игнацем Франтишеком Платцером. Позолоченная статуя св. Микулаша на главном алтаре также принадлежит работе Платцера. Заслуживают внимания украшающие храм картины выдающегося представителя школы барокко художника Карела Шкреты. Во время своего пребывания в Праге на органе храма играл Вольфганг Амадей Моцарт. Сейчас здесь регулярно организуются концерты. Храм открыт для посещения с 9.00 до 16.00.

Чтобы пройти от Малостранской площади к Пражскому Граду, нужно двигаться вверх по старинной улице, которая сейчас носит название Нерудовой. Улица была названа в честь родившегося и жившего здесь в XIX в. великого чешского поэта Яна Неруды (1834—1891). Примечательно, что лауреат Нобелевской премии чилийский поэт Пабло Неруда взял себе псевдонимом именно его фамилию, полагая, что чехи — русские, а чилиец поклонялся русской литературе (1904—1973).

Крутая улочка необычайно интересна прежде всего своими старинными зданиями, которые здесь встречаются на каждом шагу. На ограниченном пространстве можно увидеть такое количество старинных домов, называю-

Нерудова улица

щихся, по пражскому обычаю, красиво и своеобразно, что создается впечатление перемещения во времени. Среди барочных домов встречаются и ренессансные здания, как дом «У золотой чаши». На Нерудовой находятся несколько посольств, в частности румынское, украшенное скульптурами Фердинанда Максимилиана Брокоффа, и итальянское, с пластикой работы Матиаса Бернарда Брауна.

За домом № 31 по Нерудовой находится узкая лестница, спустившись по которой можно попасть к дому «У осла и колыбели», где некоторое время жил известный алхимик Эдвард Келли.

Предание гласит, что однажды к нему пришла женщина и попросила вылечить ее маленького сына, но в этот момент порыв ветра приподнял длинные волосы алхимика, и она увидела, что у чародея нет ушей. Эдвард Келли, который очень стеснялся отсутствия ушей, разозлился на женщину и крикнул: «Чтоб твой сын превратился в осла!» Прибежав домой, мать бросилась к сыну и увидела, что у него появилась ослиная голова. В отчаянии мать стала молиться Деве Марии, и, когда она вновь посмотрела на ребенка, дитя снова приняло человеческий облик.

Сейчас в маленьком дворике этого дома находятся гостиница, бар, кафе, галерея и магазин, где продаются старинная одежда и украшения.

Напротив лестницы, ведущей к дому Келли, стоит дом № 34, «У золотой подковы», привлекающий внимание фреской с изображением коня, теряющего подкову. Когда-то подкова была настоящей, но ее постоянно снимали любители сувениров, поэтому в настоящее время от нее остался только отпечаток.

Напротив дома «У золотой подковы», на углу Нерудовой и улицы Янский Вршек, расположен дворец Бретфельда, который нередко называют «Лето и зима». Примечательно, что почти в одно

Эмиль Голуб

время, в 1791 г., его посещали Моцарт и Джакомо Каза-
нова (1725—1798).

Дом № 35 «У белого ангела» известен как место жи-
тельства знаменитого чешского путешественника Эмиля
Голуба (1847—1902), много бывавшего в Африке. Замече-
но, что на карнизе этого дома всегда собирается огромное
количество голубей, больше, чем на каком-либо другом
доме по Нерудовой улице.

Следующий на пути к Пражскому Граду дом называется «У двух солнц». В нем родился Ян Неруда, о
чем гласит бронзовая мемориальная доска, на которой
изображен юноша, держащий в руках щит с масонским
треугольником.

В самом конце Нерудовой улицы стоит дом «У трех
королей», от которого лестница ведет к Лоретанскому монастырю на Градчанах. У основания лестницы находятся

Мемориальная доска на доме Яна Неруды

скульптуры работы Фердинанда Максимилиана Брокоффа, представляющие святых Яна Непомуцкого и Иосифа. Продолжением Нерудовой улицы является Увоз.

Петршин

Петршин, огибающий низменность, в которой расположена Мала Страна, — один из самых известных пражских холмов, несмотря на то что он далеко не самый высокий. Название «Петршин», по сведениям летописца Космоса, появилось приблизительно в начале XII в. и произошло от греческого слова «petra» — «камень, скала». По другой версии, название связано с немецким словом «pronberg», что переводится как «камень Перуна». В языческие времена этот холм был местом поклонения Перуну, и даже после введения в Чехии христианства здесь долгое время сохранялись языческие капища.

По сведениям летописца Гайка, при Болеславе II в рамках борьбы с язычеством на Петршине было начато строительство часовни Св. Лаврентия. Хроники свидетельствуют, что возведение часовни началось в 922 г. На западном склоне Петршина в раннем Средневековье находились известняковые разработки, откуда брали материал для строительства романских и готических зданий в Праге, в том числе и для часовни на самом холме.

В 1360 г. Петршин вошел в черту города, а через десять лет по специальному приказу Карла IV здесь поселилось несколько персидских семейств, которые ткали ковры.

В Средние века на большей части холма выращивался виноград. Обширные виноградники первоначально входили в состав церковных угодий, после Гуситских войн перешли во владение города, а в XVII в. — в руки частных землевладельцев. В тот же период холм был разделен на участки, на которых впоследствии были разбиты сады, сохранившиеся до наших дней.

С конца XIX в. сады были открыты для публики, и сейчас можно свободно посещать почти все, за исключением Лобковицкого, который принадлежит посольству Германии, и Шенборнского, при американском посольстве. Попасть на Петршинский холм можно по дорожке, идущей от шведского посольства на Увозе. Основными достопримечательностями этого места являются обзорная башня и замечательный парк, так называемые Петршинские сады, которыми восхищалась еще Марина Ивановна Цветаева (1892—1941).

Обзорная башня была построена Чешским клубом туристов к юбилейной выставке 1891 г. и представляет собой уменьшенную и значительно видоизмененную копию Эйфелевой башни. В верхней части башни имеется смотровая площадка, которую ежедневно посещают сотни туристов.

Огромным достоинством этой площадки является то, что она позволяет увидеть собор Св. Вита в полную

Петршинская обзорная башня

величину, чего нельзя сделать ни с какого другого места в Праге.

Единственным неудобством является подъем на башню, так как лифт работает только для детских экскурсий и для пожилых людей. Многих посетителей останавливает перспектива восхождения по трехстам ступенькам.

В садах рядом с обзорной башней расположен зеркальный лабиринт, созданный тем же Чешским туристическим обществом. В нем можно полюбоваться на прекрасную панораму битвы пражан со шведами на Карловом мосту.

Кроме лабиринта, в Петршинских садах можно полюбоваться часовней Голгофы, построенной в 1737 г., украшенной изображением Воскресения Христа в технике сграффито. Недалеко находится средневековый костел Св. Лаврентия, рядом с которым было место казни преступников. В 1770-х гг. костел был перестроен архитектором Игнацем Яном Непомуком Паллиарди (1737—1821).

Сразу за костелом Св. Лаврентия начинается Голодная стена, легенда о которой связана со случившимся в правление Карла IV неурожаем. В Праге и окрестностях начался голод, и тогда император приказал возводить стену, которая на самом деле не нужна была ни для обороны, ни для каких других целей. Бедняки приносили камни, строили стену, и Карл IV каждый день собственноручно раздавал им хлеб в награду за работу. Стена была возведена за несколько месяцев. В старину ее называли также Хлебной и Зубатой. По другой версии, стена, протянувшаяся от Уезда через Страгов к Градчанам, была построена в 1360—1362 гг. по приказу Карла IV для защиты Малой Страны от нападения с юго-запада, а голод в Праге начался уже после строительства. Кроме того, появление стены позволило расширить защищенную территорию города. Первоначально Голодная стена была высотой 4—4,5 м, а шириной — 1,8 м. Она была укреплена готическими бастионами, которые не сохранились до нашего времени, однако остались построенные позже,

Голодная стена

при Марии-Терезии, барочные укрепления. В настоящее время Голодная стена имеет около 8 м в высоту, 1,7 м в ширину и более 1170 м в длину, в ней сделано несколько проходов.

В розарии за Голодной стеной построена обсерватория, названная Штефаниковой в честь словацкого астронома, политика и французского генерала Милана Ростислава Штефаника (1880—1919). Предполагают, что он был убит по приказу будущего президента Чехословакии Эдварда Бенеша, который видел в Штефанике главного конкурента на президентское кресло. В основу здания обсерватории положен один из бастионов стены. Костел Девы Марии под Цепью и монастырь при нем стали первой в Чехии резиденцией рыцарского ордена иоаннитов, которые с XVI в. стали именоваться мальтийскими

Милан Ростислав
Штефаник

рыцарями. Костел и монастырь были заложены в 1169 г. канцлером Гервасием при участии короля Владислава I.

В XIII в. к романскому костелу был пристроен длинный пресвитерий в готическом стиле, а в конце XIV в. началась перестройка храма с целью превращения его в трехнефный и возведение двух высоких башен и нартекса — входного помещения. Строительство не было завершено из-за начавшихся Гуситских войн. В 1519 г. башни были переделаны, в результате чего их высота значительно уменьшилась

Сильно пострадавший во время Гуситских войн храм начали восстанавливать после сражения у Белой Горы. Готический пресвитерий был перестроен под руководством архитектора Ансельмо Мартино Лураго в стиле барокко.

Укрепленный монастырский комплекс вошел в состав укреплений, защищающих подступы к городу. Первоначальное название костела — Девы Марии в Конце Моста — в XVII в. было изменено на новое, что отразило значимость монастырского комплекса как одного из основных звеньев в длинной цепи защитных сооружений Малой Страны.

Штефаникова обсерватория
и памятник Штефанику перед ней

Внутреннее пространство костела отличается прекрасной отделкой, выполненной из штукатурки, кроме того, в нем можно полюбоваться на деревянную статую Девы Марии, созданную приблизительно в 1500 г., скульптурные украшения работы Яна Йиржи Бендла, сакристию (место для хранения предметов культа), выполненную в готическом стиле. Привлекают внимание живописные работы автора Карела Шкрета и декоративные металлические решетки XVII—XVIII вв.

На южном склоне Петршина расположен великолепный сад Кинских, один из самых интересных на холме. С XII в. на этом месте находились виноградник и костел, принадлежавшие одному из монастырей, но в 1429 г. их разрушили гуситы, и долгое время территория оставалась пустой.

В 1799 г. земли на южном склоне холма купила Роза Кинская, вдова Йозефа Кинского, представителя одного из известнейших аристократических родов Чехии. Сын Розы и Йозефа, Рудольф, начал создание сада, которое продолжалось с 1828 по 1861 г. Для оформления сада был выбран английский пейзажный стиль, а работы проходили в два этапа. Сначала, в 1828—1836 гг., здесь велось строительство летнего дворца в классическом стиле под руководством венского архитектора Йиндржиха Коха (1781—1861), и создание нижней части сада под руководством Франца Хенля (?—1830). В 1840—1861 гг. проводились работы по оформлению верхней части сада.

Дворец Кинских, выполненный в стиле ампир, представляет собой двухэтажное здание с одноэтажными боковыми пристройками. Центральная часть фасада подчеркнута ризалитом и портиком, опирающимся на четыре дорические колонны.

Интересна история некоторых обитателей этого дворца, судьба которых по роковому стечению обстоятельств сложилась несчастливо. Здесь некоторое время жил лишенный престола курфюрст Гессенско-Кассельский Фридрих Вильгельм I (1802—1875), потом дворец снимал наследник австрийского престола Рудольф, убивший свою любовницу и покончивший с собой. Эрцгерцог Фердинанд (1863—1914), убийство которого послужило поводом к началу Первой мировой войны, также некоторое время жил в летнем дворце.

Результатом ландшафтных работ стало создание роскошного сада с очень сложным рельефом, большим количеством искусственных водоемов и источников, дорожек и даже водопада. Рядом с дворцом было построено десять оранжерей для экзотических растений.

После смерти Рудольфа его жена Вилемина Кински продолжала расширять и совершенствовать сад. Она распорядилась открыть сад для публики, причем посещение его было платным, входные билеты продавались во дворце Кинских на Староместской площади.

После смерти Вилемины наследник рода Кинских решил разбить садовый комплекс на небольшие участки и выгодно продать их, однако жители Праги воспротивились уничтожению столь прекрасного сада. В 1901 г. сад был выкуплен администрацией района Смихов и открыт для посещения. В летнем дворце Кинских в 1903 г. разместился Народописный музей — отделение Национального музея.

В наше время сад Кинских имеет площадь в 22 га и состоит из двух взаимосвязанных частей — партера с летним дворцом и сада на склоне холма. Партер ориентирован в сторону Староместской площади, где находился главный дворец рода Кинских, а верхний сад визуально направлен к Голодной стене, отделяющей его от других садов Петршина.

Попасть в сад можно с площади Кинских, с улиц Шермирской, На Гржебенках, через проходы в Голодной стене, а также по недавно построенному подземному переходу, ведущему в сад с улицы Голечковой.

Вртбовский дворец и сад

На углу Кармелитской улицы и Тржиште находится Вртбовский дворец — одно из многих исторических зданий

Вртбовский дворец и сад

на Малой Стране, непосредственно связанных с важнейшими датами истории Праги и Чехии.

На месте дворца в XVI—XVII вв. стояли ренессансные жилые дома. В 1622 г. граф Сезима из Вртбы купил южный дом, а в 1631 г. — северный. Северный дом также, в свою очередь, состоял из двух частей, одна из которых в свое время принадлежала Кристофу Гаранту из Полжиц (1564—1621), ученому и писателю, казненному вместе с другими восставшими на Староместской площади.

Граф Сезима распорядился объединить оба дома, перестроив их в позднеренессансном стиле. В это же время вокруг дворца появился великолепный сад с виноградниками.

Дворец с садом перешел по наследству внуку графа Сезимы, Яну Йозефу Вртбовскому, бургграфу Пражского Града. Он решил перестроить дворец и сад в стиле барокко, в котором в то время создавались практически все здания в городе.

Для создания проекта реконструкции бургграф пригласил известного архитектора Франтишека Максимилиана Каньку. Воплощали проект лучшие пражские художники и зодчие. В 1720 г. был переделан в барочном стиле и сохранившийся до наших дней сад.

В 1799 г. Вртбовский дворец был куплен императорским советником Яном Майером, который распорядился провести новую реконструкцию. Заниматься перестройкой дворца в классическом стиле было поручено придворному архитектору Йозефу Зобелу (1744—1814). В процессе этой перестройки к зданию были добавлены два новых крыла — западное и южное, и построена парадная лестница.

В 1807 г. городские власти передали дворец в распоряжение больницы на Карлове, во владении которой он находился до 1836 г., после чего его выкупил купец по фамилии Барт и превратил здание в доходный дом, в котором позднее поселился известный чешский художник Миколаш Алеш.

С 1839 г. дворец перешел во владение вдовы купца, Марии Бартовой, которая продолжала перестраивать и совершенствовать здание, а в саду распорядилась поставить два новых павильона.

В 1911—1912 гг. дворец пережил еще одну реконструкцию, в результате которой появились пристроенные с внешней стороны четвертый этаж и аттик.

Во время Второй мировой войны дворцом владели представители немецкой администрации в Чехии. После окончания войны здание конфисковали у немцев, и оно стало собственностью чехословацкого Министерства иностранных дел. Последняя реставрация дворца была проведена в последние десятилетия XX в.

Вртбовский сад при дворце, в отличие от здания, практически не изменил своего облика со времен реконструкции 1720 г., в которой принимали участие Франтишек Максимилиан Канька, Вацлав Вавринер Райнер и Петр Ян Брандл (1668—1735). Эти прославленные мастера блестяще справились со своей задачей и превратили огромный участок с очень сложным рельефом и неправильной формой в великолепный садово-парковый ансамбль.

Склон сада был разбит на три террасы, соединенные между собой лестницами, огибающими неровности рельефа. Хозяйственный двор скрыла садовая лоджия, украшенная росписями работы Вацлава Вавринера Райнера и скульптурами Матиаса Бернарда Брауна.

В 1990-х гг. сад был полностью восстановлен в максимально приближенном к оригиналу виде, реконструкцией руководил инженер-садовник Вацлав Вайнфуртер, а проект озеленения составлял Йован Бржезина. Восстановленный сад был открыт для посещения в июне 1998 г.

Несомненным достоинством садового комплекса является необычность решения, которая позволяет воспринимать сад как единое целое, несмотря на перепады высот и сложную форму. С самой верхней террасы сада открывается великолепный вид на Малу Страну и Пражский Град. В садовой лоджии в настоящее время проводятся концерты классической музыки, а в галерее дворца — выставки.

Монастырь кармелиток

Бывший монастырь кармелиток представляет собой комплекс зданий, расположенный в Вояновых садах и состоящий из нескольких зданий вокруг костела Св. Йозефа.

Комплекс состоит из нескольких зданий, объединенных в одно целое. Первое из зданий, трехэтажный амбит[10], выполнено в стиле раннего барокко. Более всего привлекает внимание вход на наружном фасаде, оформленный фронтоном с гербом ордена кармелиток.

От амбита отходит двухэтажная галерея с аркадами и фронтонами, которая соединяется с двухэтажным флигелем. Главной достопримечательностью флигеля являются солнечные часы XVIII в. на фасаде, на которых изображена св. Терезия.

Флигель соединен с ренессансным жилым домом, перестроенным под нужды монастыря. Фасад дома, выходящий в сад, оформлен оригинальным порталом и фронтоном с тремя овальными окнами.

---

[10] Амбит — крытый аркадный коридор.

Монастырь кармелиток

Часть ограды комплекса, выходящая на Летенскую улицу, привлекает внимание порталом, выполненным в стиле раннего барокко и украшенным скульптурной группой работы Николаса Гейгера (1849—1897), изображающей Святое семейство.

На месте кармелитского монастыря когда-то находилась часть епископского дворца с садом, однако во время Гуситских войн дворец сгорел, и на его месте были построены обычные жилые дома. В середине XVII в. Фердинанд III пригласил в Прагу монахинь ордена кармелиток, которые поселились в одном из этих домов, принадлежавшем Фердинанду Вальдштейну. Вальдштейн в 1660-х гг. и начал возведение монастырского комплекса.

Строительство монастыря началось по проекту Ансельмо Мартино Лураго в стиле раннего барокко после того, как часть жилых домов была выкуплена у их владельцев. Строительство большей части комплекса закончилось в 1670-х гг., однако до XVIII в. ансамбль достраивался и производилась окончательная отделка интерьеров. Помимо Ансельмо Мартино Лураго в строительстве принимали участие архитекторы Джиованни Доминико Орси де Орсини и Маркантонио Канневале, а позже Бартоломео Скотти (1685—1735).

После того как император Иосиф II упразднил монастырь, комплекс зданий перешел во владение так называемой конгрегации английских дев, которые занимались воспитанием и обучением молодых девушек. Чтобы приспособить здания под новые нужды, была проведена их частичная перестройка в классическом стиле, пристроены учебные классы, которые заняли часть сада.

В 1906 г. на территории монастыря был построен доходный дом, в 1921 г. здания монастыря выкупило у конгрегации Министерство финансов, а в 1922 г. по его распоряжению в бывшем монастырском саду построили новое здание.

В настоящее время комплекс бывшего монастыря представляет собой здания, окружающие костел св. Йозефа. Внутри практически всех помещений монастыря сохранились раннебарочные своды, многие из которых украшены декоративной лепной штукатуркой.

В крыле, переделанном из ренессансного дома, находятся два зала, расписанных в барочном стиле в 1670-х гг. и декорированных карнизами с изображениями сцен из жизни ордена кармелиток. Расположенный в центре монастырского комплекса костел Св. Йозефа появился на заключительном этапе строительства ансамбля, в 1692 г. Автор проекта здания не установлен, но предполагается, что это Жан Батист Мате. Раннебарочный фасад храма, выполненный по нидерландскому типу, выделяется прежде всего использованием массивных полуколонн и пилястр, декорированных рустом. Скульптуры, украшающие фасад, принадлежат работе Матея Вацлава Яккела (1655—1738).

Внутреннее пространство храма разделено на части большим количеством часовен. Главный алтарь — основная доминанта храма, выполнен из дерева и украшен скульптурами Матея Вацлава Яккела. Кроме алтаря привлекают внимание картины Петра Яна Брандла и построенная в XVIII в. исповедальня.

Вальдштейнский дворец (Дворец Валленштейна)

На Вальдштейнской площади находится один из самых масштабных дворцовых комплексов на Малой Стране. Построил его известный деятель времен Тридцатилетней войны — генералиссимус и воевода фридландский Альбрехт из Вальдштейна. Строительство продолжалось с 1623 по 1629 г., проектировать комплекс генералиссимус пригласил итальянских архитекторов Андреа Спецца, Никколо Себрегонди, Джованни Батиста Пиерони.

Территория, занимаемая дворцовым ансамблем, была невероятной для частных строений того времени — он был построен на месте, где до этого находились 22 жилых дома, сады, дворец Трчков и кирпичный завод. Основой ансамбля является трехэтажное замкнутое строение с двумя внутренними дворами. К нему присоединено крыло конюшен, далее идет отдельное двухэтажное здание, также с двором, и манеж.

Дворцовый комплекс Вальдштейнов

215

Внутреннее убранство зданий Вальдштейнского комплекса не уступает интерьерам королевских дворцов. Центральное место занимает Парадный зал, богато декорированный лепкой и росписями, на которых изображен хозяин дворца Альбрехт в образе бога войны Марса на колеснице, что вполне соответствует его характеру.

В Рыцарском зале имеется еще один портрет Альбрехта на коне, а также потолочная фреска, изображающая Минерву.

В помещении салона аудиенций имеются прекрасные фрески, одна из которых, размещенная на потолке, изображает мастерскую бога Вулкана, а рабочий кабинет украшен фреской с изображением колесницы Аполлона и аллегориями времен года.

Интерьер во дворце Вальдштейнов

Интересны и коридоры дворца: так называемый Мифологический, с росписями на темы из произведений Овидия, и Астрологический, украшенный аллегорическими изображениями планет и частей света. Часовня Св. Вацлава во дворце расписана фресками на темы жития св. Вацлава. Оформление алтаря, созданного в 1630 г., соответствующее — картины из жизни и скульптурное изображение этого святого в стиле раннего барокко. Оратория часовни также расписана изображениями святых.

Вокруг дворца расположен разделенный на две части сад в стиле раннего барокко, созданный одновременно с дворцом. В большей части находятся партер, лоджия, украшенная росписями и лепниной, фонтан с бронзовой статуей Венеры, искусственная пещера со сталактитами, а также копии бронзовых скульптур работы Адриена де Врие (1556—1626), вывезенных в Швецию после Тридцатилетней войны. В меньшей части сада расположены бассейн и оранжерея. В настоящее время летом в саду проводятся театральные представления и концерты.

Дворцовый комплекс до 1945 г. принадлежал наследникам Альбрехта из Вальдштейна, а в наше время здесь располагается сенат парламента Чешской Республики.

Михнов дом

Михнов, или Тыршов, дом — здание, примечательное не только архитектурой, но и богатой историей. В Средние века на месте дворца стояла обычная средневековая усадьба с хозяйственными постройками, затем на этом месте был построен монастырь, впоследствии уничтоженный пожаром, и вновь отстроена усадьба.

В конце XVI в. карлштейнский бургграф Ян Кинский на месте усадьбы приказал выстроить летний дворец с садовым домиком и водонапорной башней. После бургграфа дворец несколько раз переходил из рук в руки, пока в 1623 г. его не купил некто Михнов из Вацинова. Судя по всему, у этого человека было достаточно средств, так как он решил построить дворцовый комплекс не хуже Вальдштейнского. Подготовка проекта дворца была поручена архитектору Франческо Каратти, который создал здание в стиле римских дворцов XVI в. Дворец, состоящий из пяти блоков, с парадным и внутренним дворами, внешне напоминает замок и считается одним из лучших образцов раннего барокко. Подражание вкусам итальянской аристократии нашло отражение и во внутренней отделке дворца.

После рода Михнов дворец несколько раз переходил к разным владельцам, пока в 1767 г. его не купила австрийская казна и приспособила под арсенал. При этом дворец, как и другие пражские здания с подобной судьбой, сильно пострадал от военных.

В 1921 г. дворцовый комплекс перешел во владение чехословацкой организации «Сокол», члены которой и начали работы по его восстановлению. Дворец был не только реконструирован, но и приспособлен под нужды организации — в саду появилось дополнительное сооружение, в котором разместились зимняя купальня и спортивные залы, в здании, где раньше были конюшни, сделали ресторан «В старом арсенале» и Сокольский дом-музей. В этот период здание получило свое второе название — Тыршов дом, в честь основателя организации «Сокол» Мирослава Тырша (1832—1884), статуя которого работы Ладислава Шалоуна стоит во дворе.

Во время немецкой оккупации дворец перешел к нацистской молодежной организации «Гитлерюгенд», а после войны «Сокол» недолго оставался хозяином дома — в 1953 г. организация была расформирована, и дворец перешел в государственную собственность. Далее часть здания стала использоваться Чехословацким союзом физкультуры и кафедрой физкультуры Пражского университета, а другая часть была отведена под музей физической культуры. По закону о реституции 1989 г. дворец снова перешел к организации «Сокол».

Вышеград

Вышеград — самый маленький из пражских районов, находящийся на возвышении на правом берегу Влтавы. Наряду с Пражским Градом и Старе Местом Вышеградский замок считается местом, от которого начинается история Праги. Вышеград никак нельзя пропустить при посещении Праги.

По легенде, основал Вышеград Крок, сын воеводы Чеха, приведшего народ в Чехию. После смерти Крока княжной стала его дочь Либуше, которая решила перенести столицу на левый берег Влтавы, и, как уже упоминалось, стоя на вышеградской скале, предрекла будущую славу городу. Предание гласит, что после этого на противоположном берегу был построен Пражский Град.

Однако, согласно источникам, Вышеград построен уже после Града, поэтому Либуше никак не могла находиться

Вышеград

здесь во время исторической сцены предсказания. В X в. на скале появился замок, называвшийся Храстен, а в XI в. его переименовали в Вышеград.

В 1070 г. богемский князь Вратислав II, поссорившись с братом Яромиром, перенес свою резиденцию из города на Вышеград. Чтобы доказать брату и всему миру, что он является настоящим христианином, Вратислав основал на Вышеграде собственный, независимый епископат, построил церковь Петра и Павла, базилику Св. Лаврентия и ротонду Св. Мартина. Королевский дворец на Вышеграде также был построен при Вратиславе II.

После этого чешские властители неоднократно переезжали с Вышеграда в город и обратно, однако в XII в. князья окончательно обосновались в городе, и Вышеград во многом утратил свою политическую значимость.

При императоре Карле IV статус Вышеграда вновь повысился, так как Карл решил, что коронационные процессии должны начинаться именно оттуда. В связи с этим решением началась перестройка Вышеграда. В 1348—1350 гг. был перестроен королевский дворец и возведены новые крепостные стены.

Во время Гуситских войн в XV в. Вышеград сильно пострадал и был восстановлен только после окончания Тридцатилетней войны. Вышеград в результате перестроек был превращен в укрепление для защиты города с юга.

В 1650 г. архитекторами Иноченцо Конти и Джузеппе Приами была начата перестройка Вышеграда в барочном стиле, в результате которой он приобрел свой нынешний вид. После перестройки в Вышеграде разместился военный гарнизон, который стоял там до 1911 г., когда комплекс перешел в ведение городской администрации.

В настоящее время комплекс Вышеград состоит из шести бастионов, также в нем находятся костел, две часовни, несколько жилых домов, а также кладбище. В числе современных дополнений Вышеграда — различные спортивные сооружения. В крепость ведут трое ворот.

Вышеградские достопримечательности

Если двигаться к Вышеграду от здания Конгресс-центра, то в него можно войти через раннебарочные Таборские ворота, появившиеся во время перестройки Вышеграда.

Другой вход в крепость — Леопольдовы ворота, построенные в 1678 г. Рядом с ними находятся остатки готических ворот времен Карла IV и крепостной стены. Слева от Леопольдовых ворот теперь находятся теннисные корты.

Сразу за Леопольдовыми воротами расположена ротонда Св. Мартина, самая древняя из трех пражских романских ротонд. Во время Гуситских войн ротонду разграбили, и долгое время после этого она использовалась как пороховой склад, а позже — как обычный склад. Ротонда избежала серьезных переделок, единственной перестройке она подверглась в 1878—1880 гг., когда был сделан новый вход в неороманском стиле, а старый замурован.

Леопольдовы ворота

Ротонда Св. Мартина

Сразу за ротондой расположена часовня Девы Марии в Крепости, построенная в стиле барокко в 1748 г. До закрытия в 1784 г. в ней находилась статуя Девы Марии Лоретанской, которую потом перенесли в церковь Петра и Павла. Почти через 100 лет, в 1882 г., часовня вновь была открыта. В этот же период чумной столб перед ней был украшен цветной мозаикой с изображением чешских святых.

Рядом с часовней можно увидеть руины церкви Усекновения Главы Иоанна Предтечи, построенной в XIV в. и снесенной в военных целях Габсбургами.

Дальше за часовней находится Новое деканство — резиденция капитула, выстроенная в 1879 г. В настоящее время здесь находится библиотека капитула и выставка, посвященная истории Вышеграда. В зимнем саду Нового деканства стоят три обломка, легендарные остатки так называемого Чертова столба.

Происхождение этого столба неизвестно, но народное предание гласит, что когда-то настоятель вышеградского храма составил договор с дьяволом, что тот будет выполнять все требования, а взамен получит его душу. Перед смертью дьявол явился к настоятелю и потребовал выполнения условий договора. Однако тот выдвинул последнее требование — дьявол должен был за время, пока читается молитва, принести из Рима мраморный столб. Дьявол быстро полетел в Рим, взял столб и двинулся в обратный путь. Однако святой Петр, вняв мольбам раскаявшегося настоятеля, трижды выбивал столб из рук дьявола, когда тот пролетал над Адриатическим морем. В итоге дьявол вернулся в Вышеград, когда настоятель уже закончил чтение молитвы, и, разозлившись, швырнул столб в храм Свв. Петра и Павла. Столб раскололся на три куска и так и остался лежать в храме.

При императоре Иосифе II обломки вынесли, чтобы людей ничто не отвлекало от молитвы. Исследователи же эти обломки считают остатками древних солнечных часов или частью опоры базилики, когда-то располагавшейся на месте храма.

Базилика Св. Лаврентия, которая стояла между современными улицами К Ротунде и Собеславовой, была разрушена еще во время Гуситских войн. Сейчас на этом месте остался только фундамент, который можно осмотреть за небольшую плату. Базилика была построена во второй половине XII в. и использовалась как приходская церковь Вышеграда.

В парке, находящемся рядом с развалинами базилики, стоят четыре скульптурные группы работы Йозефа Вацлава Мыслбека, которые до 1948 г. украшали мост Палацкого на Смихове. Скульптуры парные и изображают чешских героев — Люмира и Писени, Забоя и Славоя, Цтирада и Шарку, Пршемысла и Либуше. Последняя группа была сильно повреждена во время бомбардировок Праги и восстановлена только к 1978 г, после чего ее перенесли в парк на Вышеграде.

Храм Свв. Петра и Павла, наряду с ротондой Св. Мартина, является древнейшим сооружением Вышеграда.

Храм был заложен во второй половине XII в. Существует легенда, гласящая, что князь Вратислав II отправлял послов в Рим, чтобы получить разрешение на постройку храма. В дополнение к этому послы должны были осмотреть знаменитый римский собор Св. Петра, чтобы выстроить на Вышеграде храм не хуже. Папа римский не только дал благословение на постройку храма, но и отправил в Прагу епископа для закладки краеугольного камня.

По преданию, Вратислав лично участвовал в строительстве. По примеру императора Константина, он вытащил из котлована, рывшегося под фундамент, 12 корзин земли, а потом заложил в основание 12 камней. Вратислав приказал оформить интерьер храма таким же образом, как и римский собор, однако сейчас увидеть этого нельзя — во время Гуситских войн был уничтожен весь внутренний декор храма.

Храм Свв. Петра и Павла неоднократно перестраивался разными архитекторами и в разных стилях, и только в 1885 г. принял нынешний вид после реконструкции в неоготическом стиле, которой руководил Йозеф Моккер. Фасад храма украшают скульптурные изображения Петра и Павла, созданные Ярославом Хнатеком.

Алтарь храма сделан Кастнером в стиле модерн. Новую роспись стен храма создали художники Франтишек и Мария Урбановы, хотя авторство часто приписывают знаменитому Альфонсу Мухе.

От старой росписи осталась фреска на левой стене храма, написанная в XVII в. и изображающая Вышеград начала XV столетия. В храме можно увидеть романский саркофаг, в котором, по легенде, находятся мощи Лонгина — воина, проткнувшего копьем распятого Христа, а позже раскаявшегося и ставшего христианином.

В действительности лежащие в саркофаге мощи, вероятнее всего, принадлежат одному из представителей рода Пршемысловичей.

Еще одной достопримечательностью храма считается икона Девы Марии Вышеградской из коллекции императора Рудольфа II. Икона написана на доске в готической манере приблизительно в 1350 г.

Слева от храма Свв. Петра и Павла расположен вход на Вышеградское кладбище — одно из самых интересных в Праге.

На Вышеградском кладбище находятся могилы Франца Кафки, Антонина Дворжака, нобелевского лауреата по физике Ярослава Хейровского (1890—1967), поэта Яна Неруды, известной чешской писательницы Божены Немцовой (1820—1862) и многих других. В другой части Вышеградского кладбища тоже есть могилы известных личностей, в частности Карела Чапека (1890—1938) и Бедржиха Сметаны.

Основная часть кладбища — Славин, место захоронения наиболее именитых деятелей культуры и искусства. Славин представляет собой нечто вроде общего мавзолея, который увенчан общим памятником с изображением гения Отчизны и аллегорическими фигурами, символизи-

Галерея склепов на Вышеградском кладбище

рующими Отчизну скорбящую и Отчизну победоносную. На Славине покоятся скульпторы Ладислав Шалоун и Богумил Кафка (1878—1942), писательница Ружена Свободова (1868—1920), скрипач-виртуоз Ян Кубелик (1880—1940), художник Альфонс Муха и другие, не менее известные в Чехии люди.

Сразу за кладбищем начинаются Шульцовы сады, где можно увидеть копию памятника св. Вацлаву, сделанного в 1678 г. Оригинал памятника теперь хранится в лапидарии Национального музея на Выставиште.

Рядом с крепостью Вышеград находятся несколько очень интересных зданий, выполненных в стиле кубизм. На Неклановой улице особенно примечателен дом № 30, построенный в 1914 г. Он наряду с домом «У Черной Мадонны» считается одним из самых интересных образцов чешского кубизма.

На углу Либушиной улицы и Расиновой набережной находится огромное здание — Коваржовицова взилла, построенная Йозефом Хохолом (1880—1956) в 1913 г. Если обойти здание вокруг, можно убедиться, что его вид сзади кардинально отличается от вида спереди, так что создается впечатление, что это два разных дома. Справа

Коваржовицова вилла

226

от Коваржовицовой виллы находится вилла «Секвенс», созданная Отакаром Новотным в стиле ар деко.

Работе Хохола принадлежат еще три здания на Расиновой набережной, соединенные в одно. Этот комплекс называется «Тройной дом» и был создан для строителя Франтишека Ходека, архитектора Антонина Белады и композитора Йозефа Байера. Стиль «Тройного дома» нельзя назвать строго кубистским, планировка его больше похожа на планировку эпохи барокко, а среднее здание в комплексе украшено скульптурой, что для кубизма не характерно.

Другие районы Праги

Пражские острова

Всего в границах города на реке Влтаве находится восемь островов. В прежние времена их было гораздо больше, однако в связи со строительством плотин уровень Влтавы поднялся и многие острова были затоплены. Крупнейшие острова включены в туристические маршруты и играют немалую роль в жизни города.

Императорский луг

Остров Императорский луг, расположенный ближе к левому берегу Влтавы, почти напротив Вышеграда, первоначально был полуостровом и так и обозначался на планах города. Однако в XIX в. русло реки углубили в связи со строительством Смиховской пристани, и Императорский луг отделился от берега. В настоящее время этот остров соединен с сушей мостом, а каждую весну к нему проводят еще и понтонный мост.

Императорский луг является излюбленным местом народных гуляний еще с XIII в., когда король Вацлав II устроил на нем грандиозный праздник под открытым небом по случаю коронации. В то время и появилось первое название острова — Королевский луг.

В XX в. Императорский луг стал центром спортивных соревнований, на нем состязаются футболисты, волейболисты, а на пристани всегда много яхт, байдарок и моторных лодок.

Славянский остров

Славянский — один из самых известных островов на Влтаве. Он расположен у Нове Места, напротив набережной Масарика. Остров образовался в 1784 г. из наносов после наводнения.

На острове, который носит и второе название, Жофин, в XIX в. проводились балы. Для этого был построено здание с танцевальным залом, сохранившееся с небольшими изменениями до сегодняшнего дня. Остров был назван Жофином в честь эрцгерцогини Жофин (1805—1872), матери императора Франца-Иосифа.

Первоначально остров называли еще Красильным, так как недалеко от него жили красильщики кож, которых особенности профессии (запахи, ядовитые испарения от химикатов) вынуждали селиться на расстоянии от города. Славянским остров стал называться после прошедшего в Праге в 1848 г. Славянского съезда.

Вид на Славянский остров

В начале XIX в. остров стал одним из самых популярных мест прогулок горожан, а в 1830-х гг. там появилось первое танцевальное заведение. В 1841 г. на Славянском острове построили первую железную дорогу длиной всего 158 м, по которой ходил паровоз, тянувший один товарный и один пассажирский вагоны, в этом же году там устроили второй крупный чешский бал. В 1843 г. на балу пражане впервые познакомились с начинающей писательницей Боженой Немцовой, впоследствии ставшей знаменитой.

На Славянском острове проходили концерты знаменитых композиторов: Гектора Берлиоза (1803—1869), Ференца Листа (1811—1886), Франца Шуберта (1797—1828), здесь в 1863 г. выступал со своими произведениями Рихард Вагнер (1813—1883), невероятно поразив пражан. Слушатели впервые увидели, что дирижер стоит спиной к залу, а лицом к оркестру.

Стрелецкий остров

До Стрелецкого острова, расположенного на Влтаве недалеко от Уезда, можно добраться по мосту Легии, который раньше назывался мостом Франца-Иосифа.

Первое упоминание об острове относится к XII в. На протяжении нескольких столетий он был личной собственностью чешских королей, но в 1472 г. король Владислав Ягеллон подарил остров Старе Месту, а впоследствии город передал его цеху стрелков.

Цех провел на острове праздник стрельбы по птице, который впоследствии стал проходить ежегодно, к большому удовольствию горожан. Сначала остров назывался Газон, затем Малая Венеция, а с XVI в. за ним закрепилось название Стрелецкий.

За участие в восстании сословий Фердинанд I лишил Прагу ряда привилегий, в частности права на обладание

Вид на Стрелецкий остров

оружием. Остров также был отобран у города, однако через два года император вернул остров Праге и разделил его между общиной и стрелками. Со временем сменилось множество стрелецких обществ, однако местом их собраний неизменно оставался Стрелецкий остров. В 1782 г. император Иосиф II передал остров кружку метких стрелков, которые и оставались его хозяевами вплоть до развала Австро-Венгрии. 1 мая 1890 г. именно на Стрелецком острове состоялась первая демонстрация рабочих Праги. В ней приняли участие более 30 тыс. человек.

В настоящее время на острове действует летний кинотеатр под открытым небом, а по выходным проводятся концерты. Со Стрелецким островом связана одна из самых ярких праздничных традиций Праги — Майолес.

В конце мая студенты отмечают окончание учебного года, гуляя по городу, и собираются на острове, где выбирают короля и королеву праздника. Интересно, что в 1968 г. королем Майолеса был избран Аллен Гинзберг (1926—1997) — одно время широко разрекламированный рифмоплет-битник.

Кампа

Кампа — это, пожалуй, самый известный и самый живописный из пражских островов. Попасть на него можно, пройдя по улице Ржични. Сначала достаточно сложно поверить, что Кампа именно остров, а не полуостров, так как от берега его отделяет только небольшая искусственно созданная протока — Чёртовка.

Чёртовку прорыли, по всей видимости, для того, чтобы уменьшить опасность наводнений на Кампе. Необычное название протока получила в честь некой Алоизии Немцовой, прачки, жившей в доме № 476 на Мальтезской площади и приходившей сюда стирать бельё. Эта женщина отличалась настолько склочным характером и острым языком, что стала известна на всю округу. Ее называли чертом, дом, где она жила, — домом «У трех чертей», а позже это название перешло и на протоку.

Когда-то на Чёртовке стояли водяные мельницы, до нашего времени сохранилось деревянное колесо одной из них, построенное в 1498 г. Колесо уже давно не работает и служит лишь украшением. Существует несколько версий

Лихтенштейнский дворец

происхождения названия и самого острова. По одной из них, он был назван так по имени Тихона Гансгеба из Кампы, дом которого когда-то здесь находился, по другой — здесь одно время стояли лагерем испанские войска, и название острова произошло от испанского слова — лагерь.

Очарование Кампы во многом обусловлено ее прекрасным парком, возникшим на месте садов Ностицев и Михнов. Среди самых интересных зданий — монументальный Лихтенштейнский дворец, построенный в конце XVII в. и полностью перестроенный в середине XIX в., и небольшой домик напротив него, в котором в течение пяти лет проживал Йозеф Добровский. Кроме них, на острове находятся старинные жилые дома, из которых стоит обратить внимание на дома «У синей лисы» с прекрасным барочным порталом и «У белого сапога» с роскошной отделкой.

Дворцы и усадьбы

В отличие от исторических районов города более новые, — такие как Смихов, Карлин, Жижков и более десятка других, — не столь богаты историческими сооружениями. Однако и в них встречаются замечательные здания и архитектурные шедевры.

Портгеймка

Портгеймка — усадьба с дворцом, изначально принадлежавшая семье Килиана Игнаца Динценгофера — известнейшего архитектора эпохи барокко. В 1722 г. он купил участок земли на Смихове а к 1728 г. здесь был возведен небольшой двухэтажный дворец.

Здание представляло собой изящную и великолепно украшенную постройку с роскошно оформленным садовым фасадом и лоджией. Внутри дворца, на втором этаже, был создан прекрасный овальный зал, на потолке которого Вацлав Ваврынец Райнер написал фреску «Вакханалия».

Портгеймка

Стены и пол зала были облицованы мрамором. Позже по обе стороны дворца были пристроены два одноэтажных крыла, из которых до наших дней сохранилось только одно, а вокруг здания разбит сад, спускавшийся к Влтаве.

После смерти Килиана Игнаца Динценгофера в 1752 г. между его наследниками начались распри. В результате дворец был продан, а спустя четыре года он перешел во владение графа Франца Леопольда Буквой-Лонгевала.

Франц Леопольд расширил и усовершенствовал прилегающий ко дворцу сад, разместил в нем оранжереи и теплицы для экзотических растений. В саду часто проводились роскошные торжества, устраивались фейерверки. По фамилии графа усадьбу стали называть Буквойкой. После смерти Франца Леопольда его наследник счел более выгодным сдать усадьбу в аренду, чем жить в ней. Здесь был устроен ресторан. Долгое время здание не ремонтировалось и постепенно ветшало.

В 1828 г. усадьба перешла к Моисею и Иуде Поргесам из Портгейма, в результате чего появилось ее новое название. Новые владельцы построили рядом с рекой цех по производству тканей, а дворец сделали своей родовой усадьбой. Их наследник Йозеф надстроил боковые флигели дворца, сделав их двухэтажными.

В 1870 г. Йозеф Портгейм, увлекавшийся музыкой, организовал музыкальный клуб и стал устраивать в главном зале дворца концерты, где выступали лучшие музыканты того времени. В этих концертах постоянно принимал участие собственный струнный квартет владельца усадьбы, альтистом в котором был композитор Антонин Дворжак. В 1880-х гг. рядом с усадьбой началось строительство костела Св. Вацлава, для чего администрация города выкупила у владельцев Портгеймки часть сада. В 1884 г., в связи со строительством, было снесено южное крыло дворца, из-за чего внешний вид здания сильно пострадал, так как нарушилась симметрия. Строительство костела грозило разрушением и другим частям здания, и только с большим трудом Портгеймы смогли сохранить дворец.

Вторая мировая война стала губительной для сада — погибли многие постройки, пострадали деревья. После окончания войны сад вновь открыли, а дворец стал использоваться как выставочный центр.

Сейчас Портгеймка открыта для посещения круглый год, в ней проводятся различные культурные мероприятия, а на нижнем этаже находится кафе.

Карлштейн

Говоря о Праге, невозможно обойти вниманием расположенный на расстоянии 25 км от города знаменитый замок, который пользуется необыкновенной популярностью у туристов.

Карлштейн был спланирован как резиденция Карла IV, в которой хранились все сокровища Чехии и государственные атрибуты. Архитектурное решение замкового комплекса должно было воплощать величие и силу императорской власти.

Замок был заложен в 1348 г., а строительство продолжалось семнадцать лет по тщательно разработанному

Замок Карлштейн

плану, при этом каждая его часть проектировалась таким образом, чтобы соответствовать своему назначению и в то же время гармонировать со всеми остальными.

Место расположения замка, который находится на вершине холма рядом с рекой Бероункой, по легенде, выбирал сам Карл IV. Стратегически продуманное положение Карлштейна, окруженного со всех сторон возвышенностями, позволило ему во всех войнах оставаться неприступным.

Карлштейнский комплекс образован пятью объектами различной высоты — императорским дворцом, Малой и Большой башнями, Студничной башней и бургграфством. В верхней части Большой башни располагается знаменитая часовня Св. Креста, которая была освящена в феврале 1345 г. и стала местом хранения коронационных регалий.

Изысканное оформление интерьеров замка, созданное под личным контролем императора, противопоставляется подчеркнутой внешней скромности и аскетичности строений. Великолепие внутреннего убранства не противоречит символическому смыслу величия власти — в замке находятся циклы фресок, посвященные легендарной родословной императора, ведущего свое происхождение якобы от властителей древности.

Содержание

Введение 3

История Праги 5
  Основание Праги 5
  Расцвет Праги 10
  Гуситское движение 17
  После Гуситских войн 25
  Правление первых Габсбургов 30
  Тридцатилетняя война 36
  Расцвет империи Габсбургов 42
  Начало национального возрождения 48
  Революционное движение в Праге 53
  Прага в период между двумя революциями 58
  Столица Чехословацкой Республики 61
  Прага в годы социализма 66
  Современная Прага 68

Старе Место 70
  Староместская площадь 70
  Целетна улица и Пороховая башня 82
  Пражский Муниципальный дом 86
  Йозефов 92
  Монастырь Св. Анежки Чешской 98
  Клементинум 100
  Каролинум 106
  Вифлеемская часовня 110
  Рудольфинум 112

Нове Место 114
  Вацлавская площадь 114
  Улица На Пршикопе и Национальный театр 119
  Площадь Юнгмана 122
  Костел Девы Марии Снежной 125
  Монастырь на Словенах 127
  Карлова площадь и ее окрестности 129
  Набережная Масарика 136
  Костел и монастырь Святой Урсулы 139

Пражский Град 141
   Первый и Второй дворы Града 141

Третий двор Града 146

Базилика и монастырь Св. Йиржи................... 153

Старый королевский дворец 157
   Злата улочка 160

Башни Пражского Града 163
   Бургграфство... 166
   Сады Пражского Града.................................. 168
      Королевский сад 168
      Олений ров.. 175

Градчаны... 178
   Градчанская площадь и окрестности........... 180
   Лоретанская площадь и окрестности................ 187

Мала Страна 194
   Малостранские мостовые башни 195
   Малостранская площадь и Нерудова улица...... 198
   Петршин.. 203
   Вртбовский дворец и сад............................... 209
   Монастырь кармелиток 212
   Вальдштейнский дворец
      (Дворец Валленштейна) 215
   Михнов дом... 217

Вышеград 219
   Вышеградские достопримечательности 221

Другие районы Праги 228
   Пражские острова.. 228
      Императорский луг..................................... 228
      Славянский остров...................................... 229
      Стрелецкий остров...................................... 230
      Кампа 232
   Дворцы и усадьбы.. 233
      Портгеймка 233
      Карлштейн 235

Научно-популярное издание
Исторический гид. Города и музеи

Автор-составитель
Сергиенко Юлия Вячеславовна

ПРАГА

Выпускающий редактор *И.В. Осанов*
Корректор *Б.С. Тумян*
Дизайн обложки *Е.А. Забелина*
Верстка *И.В. Резникова*

ООО «Издательство «Вече»

Юридический адрес:
129110, г. Москва, ул. Гиляровского, дом 47, строение 5.

Почтовый адрес:
129337, г. Москва, а/я 63.

Адрес фактического местонахождения:
127566, г. Москва, Алтуфьевское шоссе, дом 48, корпус 1.

Подписано в печать 13.01.2014. Формат 84×108 $^{1}/_{32}$.
Гарнитура «PeterburgC». Печать офсетная. Бумага офсетная.
Печ. л. 7,5. Тираж 2000 экз. Заказ № 6807/14.

Отпечатано в соответствии с предоставленными материалами
в ООО «ИПК «Парето-Принт», 170546, Тверская область,
Промышленная зона Боровлево-1, комплекс № 3А
www.pareto-print.ru